Estrelas e Ce

Paixões Ardentes: Duas Histórias

Eva Rossi

CONTEÚDO

Imprint

INTRODUÇÃO

Você gostaria de relaxar com uma leitura apimentada e saborosa?

Você tem o livro certo em suas mãos!

Você vai navegar e saborear com prazer uma coleção de histórias de muito bom sexo sem qualquer censura, do jeito que você gosta!

Mas antes de continuarmos, deixe-me me apresentar.

Meu nome é **Eva Rossi** e sou uma escritora de histórias eróticas, para dar vazão aos seus sonhos e desejos.

Eu também, depois de um dia difícil, quero relaxar e me sentir bem, assim como você.

E você sabe de uma coisa?

Eu realmente gosto de histórias de amor e sexo, elas me fazem fantasiar em minha mente e me permitem mimar-me como só eu sei como.

Sim, porque eu realmente preciso de um momento de relaxamento íntimo e bem-estar comigo mesmo!

É por isso que eu escrevo histórias de paixão.

Para que eu possa satisfazer meu desejo sexual!

E por que não compartilhar essas histórias com você?

Afinal de contas, você também quer ficar excitado depois de um dia difícil!

Aproveite então, sem limites!

Estas são histórias de vida normal, como você sempre quis, entre pessoas que querem ser felizes compartilhando sua intimidade umas com as outras e com você junto com elas.

Vamos lá, comece navegando por muitas, muitas histórias de ternura e paixão para nos dar prazer sozinho ou em companhia.

Eu realmente o convido a relaxar lendo minhas histórias, para deixar de lado suas inibições e começar a viajar com suas emoções, em uma viagem profunda e romântica de prazer.

Faça-o por você mesmo!

Muitos abraços!

ANTES DE COMEÇAR...

Você gostaria de receber, gratuitamente, **uma história erótica só para você**, e ficar em contato comigo?

Assine minha newsletter, assim você estará sempre informado sobre minhas novas coleções eróticas e faça o **download do meu presente**!

Clique aqui ou leia o código QR para me seguir!

allmylinks.com/erosandlovebr

Um beijo e uma boa leitura!

Estrelas e Centelhas

Um

Eu olhei para a rua principal da cidade, perdido em sua beleza pitoresca. Lojas e negócios de alturas variadas, mas o mesmo apelo antigo, teceu em torno de três restaurantes e uma padaria e cafeteria solitária em um só, chamada Butter House. Pastagens de concreto sobredimensionadas não obstruíam a vista; o estacionamento nas ruas proporcionava linhas limpas e sem obstáculos. Um grande centro mediano com pétalas coloridas e magnólias entre manchas de grama verde verdadeira impediu que o trecho de edifícios e veículos se sentissem metropolitanos.

O Bear Valley não foi tocado pelas corporações que controlavam a maioria dos Estados Unidos. Era um pequeno pedaço de glória para qualquer um que precisasse de simplicidade neste mundo muitas vezes complicado. E era a minha nova casa.

Agarrando meu cappuccino Butter House, eu abri a porta para o escritório de imprensa local. Era o menor prédio do lado direito da rua. Uma janela solitária anunciava seu propósito em letras brancas com uma sombra preta, se a estante do jornal, ainda cheia da impressão desta semana, não fosse uma indicação.

O sino acima do chaminé de entrada, anunciando-me enquanto eu entrava, enquanto o ar condicionado me recebia do calor e umidade do lado de fora. Como a maioria dos jornais, cópias emolduradas de suas melhores histórias penduradas nas paredes azuis pálidas. Cadeiras de madeira desencontradas estavam alinhadas à esquerda, acrescentando ao charme do espaço, mas tirando da atmosfera profissional.

Uma loira pequena, extra curvada, espreitou de um escritório no corredor curto. Levei todos os meus anos de treinamento para manter minha boca fechada enquanto ela se revelava, dando passos firmes na minha direção.

Pernas de capri vermelho de algodão agarradas às suas pernas grossas. Se elas tivessem sido emparelhadas com bombas pretas e um vestido vintage, eu teria respirado facilmente. Ao invés disso, a mulher vestia uma camiseta branca de tamanho exagerado com morangos pintados -- não estampados -- e tênis brancos sujos. Não ajudou o fato de que ela não usava um pouco de maquiagem e só se preocupou em passar dois segundos no cabelo, jogando-o em um rabo de cavalo solto.

Se o meu antigo chefe, Rick, tivesse vislumbrado o traje dela, ela teria sido demitida na hora. Não foi profissional, não foi nem mesmo casual, e certamente não insinuou que ela era uma jornalista de qualquer calibre.

Suas sobrancelhas subiram enquanto ela parava diante de mim, me acolhendo. Um sorriso atrofiado enrolou seus lábios enquanto ela estendia uma mão. "Você deve ser Shae Roberts".

Balanceando minha bolsa estruturada e meu cappuccino de um lado, eu pressionei minha palma para a dela. "Sim, eu estou". Eu dei um sorriso educado, aquele que eu usei com a maioria dos meus entrevistados. "Você é Mary Ann Gibsey?"

"Sim". Ela se separou, franzindo o sobrolho. "Querida, importa-se se eu perguntar o que está acontecendo com essa roupa?"

Eu olhei para baixo para minha saia e blazer da marinha a condizer. Minha camisa com botões rosa choque contrastou perfeitamente, adicionando um inesperado estalo de estilo ao terno que de outra forma seria chato. Um clássico colar de pérolas e bombas de nudez com patente completaram o meu conjunto.

Amaldiçoando meus lábios, eu estreitei um pouco meu olhar. "Há algum problema?" Eu enviei uma oração silenciosa pedindo paciência.

Suas bochechas coloridas o suficiente para mostrar seu desconforto. "Não me entenda mal, tenho certeza que esta foi uma roupa de trabalho maravilhosa em Atlanta, mas, querida, você não está mais em Atlanta. As pessoas desta cidade são simples, não abafadas. Você entra na casa ou no negócio deles assim e eles vão pensar que você é um snobe da cidade que não merece respostas".

Eu sabia que minhas sobrancelhas tinham se levantado enquanto ela falava. Por mais que eu odiasse admitir isso, no entanto, ela provavelmente estava certa. Mais da metade do meu guarda-roupa seria inútil em Bear Valley, se as pessoas que eu tinha visto na Butter House fossem uma boa representação da maioria. Não haveria conversão; eu tinha que ser o único a mudar se eu quisesse algum sucesso aqui.

"Eu sei que provavelmente pareço frustrada para você, mas isto me torna acessível para eles", ela continuou. "Agora, eu sei que é rápido, mas você vai na sua primeira tarefa comigo esta tarde. Metade da cidade vai a um churrasco para receber Barry Jacobs, conhecido por todos nós aqui como Urso, de volta. Ele tem servido no Marine Corp nos últimos seis anos".

Aquela última frase despertou meu interesse como um monte de ângulos da história que me atrapalharam a mente. "Será que ele serviu no exterior de alguma forma?"

Ela expulsou um suspiro pequeno e melancólico. "Duas excursões, e, deixe-me dizer-lhe, o perigo adicional só aumentou seu apelo sexual para cada mulher da cidade". Ela falou como se a informação fosse uma fatia extra suculenta de fofoca de pêssego.

Eu fiquei desiludido. "Minha experiência tem sido que a história é sempre melhor do que o sexo, o que significa, sex appeal ou não, Sr. Jacobs será tudo negócios para mim".

Mary Ann me deu um sorriso amplo e presunçoso. "Isso é porque você ainda não o conheceu".

A confiança dela me fez hesitar por um breve momento. "Talvez".

Ela riu. "Muito bem. Você vai para casa e se transforma em algo mais casual e me encontra de volta aqui em uma hora. Podemos sair juntos para o rancho dos Jacobs".

Eu abri minha boca para falar, mas ela levantou uma mão para me silenciar.

"Antes de você discutir, nenhum GPS o levará ao endereço deles. Confie em mim, esta é a melhor maneira de garantir que ambos cheguemos para o trabalho".

Eu mordi minha diversão de volta. "Eu só ia dizer que se você é assim tão atraído pelo homem, você talvez queira se divertir um pouco. Qualquer homem que não te veja há seis anos precisará de um lembrete do motivo pelo qual ele deve estar interessado".

Foi a vez dela abrir a boca e me fazer segurá-la.

"Isso não foi um insulto, apenas uma palavra de encorajamento". Eu pisquei o olho, tomando um gole do meu cappuccino rapidamente resfriado.

Ela me considerou por um longo minuto. "Dica tirada, mas eu não tenho muito com que trabalhar no meu armário, eu tenho medo. Como você sabe, esta cidade paga amendoins pelo jornal deles".

Eu assumi que foi porque a cidade tinha uma população de menos de três mil pessoas que meu salário foi cortado pela metade. Ninguém mais respondeu ao meu currículo, no entanto, e eu estava perto do fim da minha indenização. A maior impressão em Atlanta cortou seus funcionários pela metade quando eles não estavam preparados para ir para a digital antes da competição. Isso deixou quase cinqüenta jornalistas procurando emprego em um mercado já competitivo. Eu fui forçado a procurar em outro lugar. E, depois de quatro meses de aplicação sem parar, recebi o telefonema pelo qual estava esperando. Duas semanas e cento e vinte e sete milhas mais tarde, cheguei ao Bear Valley.

Eu estudei as curvas mais do que generosas de Mary Ann; elas imitaram as minhas de muitas maneiras. "Qual é o seu tamanho?"

"Eu não sabia que o spandex vinha em tamanhos". Ela fingiu surpresa, baixando a guarda por uma fração de segundo.

Pela primeira vez, eu ri, relaxando no momento. Foi então que eu soube que eu tinha feito meu primeiro amigo. "Vai quebrar seu atual código de vestuário imposto, mas eu acredito que tenho um vestido de verão vintage que pode funcionar".

A esperança ilumina sua expressão. "Você acha que vai ficar bem em mim? Nós somos tão diferentes".

Em Atlanta, isso teria sido um insulto, mas no Bear Valley, particularmente vindo de uma mulher vestida com uma camisa de morango, eu sabia que era inocente. "Eu posso ser moca para a sua baunilha, mas moda é moda". Fica bem em todas as cores de pele quando feita corretamente".

Ela guinchou, saltando de uma forma que nenhuma mulher madura empurrando trinta deve fazer. "Isto é tão excitante".

Eu senti meu sulco de sobrancelhas. "Se ficar todo enfeitado é motivo de excitação, querido, você não está fazendo isso com frequência suficiente".

Ela arranhou o nariz. "Talvez eu tenha estado em um pouco de cio. Eu levei a um extremo totalmente novo quando o irmão do Bear, Brent, começou a namorar Molly, também conhecida como Miss Pert e Perky". Ela espreitava conspiratorialmente, como se fosse para verificar se havia ouvintes, antes de se concentrar novamente em mim. Ela se inclinou e sussurrou: "A mulher tem quase o dobro da idade dele com três filhos de três pais diferentes, e todos fora do casamento".

Foi apenas por um milagre que eu guardei minha opinião para mim mesmo. Primeiro, ninguém é perfeito. Segundo, e mais importante, ninguém deve nunca comprometer como ele ou ela se representa, particularmente em seu campo de carreira, por causa de uma questão pessoal. A maioria ficou firmemente atrás da separação entre a igreja e o estado, mas eu apoiei totalmente a separação entre pessoal e profissional. "Toda mulher merece se sentir bonita, independentemente de sua profissão". Eu acho que está na hora de as pessoas desta cidade se acostumarem a ver a imprensa em negócios casuais, em oposição a...". Eu lutei para encontrar uma palavra para descrever a atrocidade que Mary Ann usava. Acabei me conformando com, "...isso". Eu acenei com meu dedo indicador para cima e para baixo na direção geral dela.

Ela endireitou, virando um pouco o nariz para cima. "Cuidado, Shae. Eu ainda sou seu chefe, não importa como estou vestida". Não havia casca no tom dela, apenas bom humor natural.

"Anotado. Agora vamos lá. Vou precisar de todo o tempo que puder para trabalhar qualquer grau de magia em você".

Ela já estava praticamente brilhando. "Espere até que você veja esses palhaços. Você vai entender porque nós nos babamos. Urso, Brent e Brock estão..." Ela soprou um fôlego duro, fanfarronando-se com sua mão. "Você só espera".

Sua insistência normalmente teria fortalecido minha determinação, mas, por alguma razão, ela estava me deixando nervoso. Talvez fosse porque eu estava cercado por estranhos e não podia prever o que estava ao virar da esquina, ou, neste caso, quem. Meu estômago estava uma confusão de nós, como se meu núcleo soubesse que havia alguma verdade em suas palavras, e eu não queria cair nas presas deles. Eu me orgulhava de ser uma mulher extra curvada, confiante e, mais notavelmente, independente, afro-americana. Nenhum homem tinha me colocado de joelhos.

Mas, o jornalista em mim conhecia estatísticas, e elas não estavam a meu favor. Meu dia estava chegando. Eu sabia que estava. Eu não sabia se deveria correr para ele ou a partir dele. A vida seria muito mais simples se os hormônios não tivessem nenhuma influência sobre nós.

Infelizmente, a minha declaração emendada seria: nenhum homem ainda me havia colocado de joelhos.

Ainda assim.

DOIS

Seis anos haviam passado e ainda assim nada havia mudado. A cidade era a mesma; todos trabalhavam nos mesmos lugares, saíam com as mesmas pessoas e contavam as mesmas histórias. Apesar do progresso da moda no tempo em que eu estive fora, o pessoal do Bear Valley usava as mesmas roupas, tinha os mesmos penteados e, em geral, faltava estilo.

Quando você viaja pelo mundo, você percebe muitas coisas que você nunca notou antes, como a forma como você realmente fala com um sotaque. Eu percebi que o Vale do Urso, para falar sem rodeios, era simples e chato. Não havia nada de extravagante nele, e ninguém se interessava por ele dentro de suas linhas. Para minha decepção, não era uma daquelas cidades do Sul com Belles do Sul flertando com vestidos extravagantes, cabelos perfeitamente encaracolados e maquiagem impecável. A maioria das mulheres de Bear Valley usava jeans, botas de cowboy, rabos de cavalo e batom em vez de batom. Eu supunha que os fazendeiros práticos da cidade e arredores preferiam uma mulher que não se preocupasse com excesso e confusão, uma que não tivesse medo de sujar suas mãos.

Algo mais eu percebi no meu tempo fora, depois de ter sido exposto às mulheres dos meus companheiros soldados, eu preferi a minha garota toda boneca. Eu não estava dizendo que ela não podia usar suor com uma de minhas camisas e não ficar linda, mas eu era um sacana arrogante. Eu queria que todos os homens vissem minha mulher e parassem o que eles estavam fazendo para prestar atenção, só para que eu pudesse esfregar na cara deles que ela era minha. Isso era impossível quando sua mulher se misturou com o resto do lote em uma cidade pequena. Provavelmente era por isso que nenhuma mulher por aqui tinha atraído minha atenção por mais tempo do que uma noite.

"Como foi lá, Bear? Você mata algum cabrão?" Weasel tomou um gole de sua cerveja.

"Sim, cara. Dê-nos a sujeira", disse Gator, galantemente me coagindo com um soco do cotovelo dele para o meu lado.

Menos de meia hora e eles já estavam a caminho de serem desperdiçados. Eu lhes dei um brilho desaprovador, balançando minha cabeça. Será que estes dois alguma vez cresceriam? Merda. Nós estávamos todos empurrando trinta. "Você já ouviu falar em não perguntar, não contar?"

Eles trocaram olhares confusos. "Isso não é para os maricas?" Weasel soou tão confuso quanto ele parecia.

Eu não me dei ao trabalho de fazer frente à estupidez deles. Você tinha que escolher suas batalhas como fuzileiro naval. Estas duas não valiam uma. "Aplique aqui e agora. Não pergunte, porque eu não vou contar".

"Vamos, Bear. Eu sei que você já viu alguma merda". Gator me acotovelou mais uma vez.

"E?" Eu cruzei os braços sobre o peito, olhando para o par.

"Droga, cara. Deve ter sido uma merda difícil. Você nunca foi tão nervoso". Gator ficou apenas um pouco impressionado.

"Claro que sim, ele tem". A doninha acenou com um dedo indicador trêmulo na direção do meu rosto. "Olhe para aqueles marrons de bebê". Ele enrugou seu lábio inferior e fingiu tristeza.

"Realmente, Weasel?" Estes dois não mudavam uma lambida desde o colegial. Mais de uma década e eles ainda estavam tentando ser a versão cômica dos três mosqueteiros comigo. "Por que você não leva essa merda idiota para LuAnna? Os rumores dizem que ela ainda tem um fraquinho por você".

Ele se animou imediatamente. "Você acha?"

Era a minha vez de trocar olhares com Gator. Como um homem pode ser tão cego para o óbvio?

"Não, eu sei". Eu olhei através do pátio para onde a pequena loira estava conversando meio distraída com Courtney. A cada poucos segundos ela olhava para nós, mas seu foco estava no Weasel quando ela o fez. As duas tinham namorado durante toda uma semana no colegial. Era apenas uma semana, mas Gator e eu sabíamos que isso era sério. Ela era a única mulher com quem a Weasel não falava dos detalhes para o time de futebol. Se você perguntasse a ele sobre ela agora, ele ainda não falava, nem mesmo bêbado de merda.

"Que outra mulher você vai encontrar que pensa que seu rabo magricela está cheio de pepitas de ouro?" Gator arranhou seu nariz.

Eu rosnei, enquanto todos nós três encarávamos o caminho de LuAnna.

As bochechas da garota ficaram três tons de vermelho enquanto ela imediatamente sacudia a cabeça, voltando sua atenção para sua conversa com Courtney, tentando fingir que ela estava alheia a nós.

"Você deveria ir falar com ela antes que você esteja muito bêbado para ser suave". Eu lhe dei um tapa no ombro, dando-lhe um empurrão na direção dela.

O jacaré desprezou. "A doninha é tão suave quanto uma pedra recortada a qualquer momento".

"Não tenhas ciúmes do meu jogo, cabrão". Ele empurrou o Gator no peito. O macho volumoso simplesmente se inclinou para trás, sua postura não foi incomodada.

Eu balancei minha cabeça negativamente. "Eu não posso levar vocês dois a lugar nenhum".

"Barry!" A voz de minha mãe quebrou nosso círculo, sobre a multidão de habitantes locais que continuavam conversando ao nosso redor.

Ao espreitar por cima do meu ombro, eu a peguei de vista. Ela estava descendo os degraus traseiros com uma bandeja cheia de aperitivos.

Bater nos braços dos meus amigos, eu pedi: "Não fiquem aí parados, vamos ajudá-la".

Eles gemeram, mas me seguiram na direção dela. Eu tirei a bandeja dela. "Weasel e Gator o ajudarão com o resto".

Ela bufou, suas feições se recusando em desaprovação. "Honestamente, rapazes. Esses apelidos são atrozes".

Minha mãe nunca me havia chamado de Urso. Ela também nunca me chamou de Barrath. Ela queria o nome Barry, depois de Barry Manilow, mas meu pai, sendo o asno inteligente que ele era e ainda é, colocou Barrath na minha certidão de nascimento. Ela lhe deu o ombro frio durante o primeiro mês da minha vida. A oferta de trocá-lo lhe deu jantares de microondas por uma semana. "Não deveria ter precisado ser trocado", alegou ela.

"Depois de você, Sra. Jacobs". Gator fez um gesto para minha mãe entrar na casa antes deles.

Ela suspirou, balançando a cabeça em consternação, mas cumpriu.

No momento em que ela virou as costas, os caras me deram o dedo. Eles beberam suas cervejas antes de jogar as garrafas na grande lixeira no baralho e seguir minha mãe para dentro.

Nada mudou no Vale do Urso, muito para minha decepção. Minha mãe ainda estava falando as mesmas linhas, Gator e Weasel ainda estavam agindo como idiotas metade do tempo, mesmo tendo um conjunto de cérebros, e, porque nenhum deles se preocupou em quebrar o ciclo e se aventurar fora das linhas da cidade, nenhum deles me entendeu, os militares, ou o meu tempo fora. Todos eles queriam alguma coisa, mas não era a verdade. A verdade não cabia em suas caixas perfeitas e não progressivas.

A dura verdade era que eu não sabia mais se eu cabia nas caixas deles. Eu não era o mesmo homem que deixou esta cidade seis anos atrás. Eu queria muito mais do que uma repetição enfadonha. Eu queria uma coisa diferente. Eu queria mais do que eu pensava que esta cidade alguma vez ofereceria. E isso significava que eu tinha algumas escolhas difíceis para fazer em breve.

A menos que o destino tenha decidido intervir.

TRÊS

Mary Ann puxava na frente do vestido que eu a deixava pendurada quando ela saía do caminhão. O vestido azul e branco dos anos 50 complementava suas curvas; a linha A emagrecia, ao invés de volumosa, seus quadris. Seus cabelos loiros agora caíam em grandes cachos, com alguns fios presos para trás em cada lado. Eu não tinha o tom de base dela, então fui forçado a revestir o pó mineral translúcido com um polvilho de bronzeador para uniformizar o tom de pele dela. Um toque de blush reavivou sua cor enquanto o rímel lhe abriu instantaneamente os olhos. Seus lábios agora vermelhos e brilhantes atraíram os olhos, perfeitos para qualquer jornalista que conduzisse entrevistas. Infelizmente, Mary Ann não era competente em calcanhares de qualquer altura. Nós nos instalamos em um par de botas de cowboy cor de camelo que tinham sido enterradas no fundo de uma das minhas caixas. Nem um ponto da sua roupa anterior ficou, e ela era uma mulher melhor para isso.

Ela ajustou os brincos de pinos simples que ela havia pedido emprestado, antes de mexer com o vestido novamente. "Você tem certeza de que eu estou bem?"

Eu senti minhas sobrancelhas se sulcarem enquanto eu franzi o sobrolho do veículo para ela. "Eu preciso mostrar as fotos de antes e depois novamente?"

As bochechas dela desbotaram levemente. "Não. Você fez um ótimo trabalho. Eu não me sentia tão bem há muito tempo, mas isso me deixa nervoso. Você não tem idéia de como os meninos do campo podem ser cruéis quando eles te conheceram por toda a sua vida".

Eu sabia que o meu franzido se aprofundava. "Você não está aqui para ganhar os elogios dos meninos do campo; você está aqui para conduzir uma série de entrevistas para uma possível história de capa. Nada mais e nada menos".

Ela arrumou seus lábios. "Eu acho que vocês da cidade são mais civilizados do que nós".

Eu virei meus olhos. Inclinando-me de volta no caminhão dela, peguei meu telefone. Foi a minha melhor ferramenta. Eu o tinha usado para gravar todas as minhas entrevistas, para garantir que as citações impressas fossem exatas.

Endireitando, eu reajustei meu vestido vermelho. Ele foi desenhado com o mesmo estilo do número de época da Mary Ann, mas criado neste século. Um cinto azul marinho de uma polegada de largura acentuou ainda mais a minha cintura. As mesmas pérolas de antes estavam ao redor do meu pescoço e pontilhando meus lóbulos das orelhas. Cunhas de cortiça nuas me deram alguma estabilidade, pois eu sabia que estaria navegando em grama de umidade variável. Grandes cachos mostravam as madeixas de mel que eu havia acrescentado antes de sair de Atlanta, e, sendo a mulher ousada que eu freqüentemente era, minha maquiagem imitava a de Mary Ann. Nós éramos um conjunto de senhoras atemporais em uma missão.

"Muito bem." Mary Ann arredondou seu caminhão na minha direção. "Siga-me pelas traseiras". Ela começou a ir em direção ao lado direito da casa.

Agarrando meu telefone, eu respirei fundo. Ser um jornalista teve uma certa mentalidade. Eu me preparei mentalmente antes de ir a qualquer entrevista, independentemente do assunto. De frente, em direção à casa de um nível, estilo plantação sulista, eu persegui atrás da loira de repente zelosa.

Mary Ann estava abrindo uma nova trilha em um ritmo rápido. "Certifique-se de perguntar o nome deles, sua relação com o Urso e seu título de trabalho, antes de fazer qualquer pergunta de artigo. Nós queremos principalmente ficar com sua família e os empresários da cidade, mas Weston, conhecido por todos como Weasel, e, Paul, que chamamos de Gator, são seus melhores amigos, então está tudo bem para ter sua opinião".

Eu acenei, embora ela não conseguisse me ver. "Há alguém que eu deva evitar?"

Ela parou abruptamente. Suas feições foram arranhadas enquanto ela se concentrava. "Não é bem evitar, mas Seth, o pai do Urso, é um bocado difícil, e, ele e seu melhor amigo, Calhoun, provavelmente vão tentar irritá-lo". As linhas em seu rosto se estendiam quanto mais ela falava. "Na verdade, talvez você devesse deixá-las comigo para entrevistar. Eu sei como lidar com elas".

Uma única mão pairava no meu quadril enquanto eu conhecia o olhar dela. "Querida, eu entrevistei celebridades bêbadas a caminho da reabilitação; entrevistei viúvas soluçantes, viúvas frescas, homens sem teto que não tomam banho há meses, vítimas da tragédia ainda em uma cama de hospital, e eu lidei com snobs adolescentes socialistas que gostam de brincar com a imprensa com histórias falsas porque eles não têm nada melhor para fazer. Eu garanto que Atlanta tem tudo o que o Bear Valley faz e muito mais, o que significa que eu posso lidar com tudo isso".

Ela me considerou por um longo minuto. "Bem, está bem, apenas... use o seu melhor julgamento". Ela me deu um pequeno sorriso. Estava claro que ela tinha muito pouca fé em mim.

Mas era assim que o mundo era. A confiança tinha se perdido na confusão das calamidades. Havia muitos maus, muitos maus que pareciam bons, e muitos que haviam experimentado a dor da traição, do desgosto e da perda nas mãos daqueles em quem antes confiavam.

A confiança nunca seria uma questão a preto e branco. Havia áreas de cinza entre cada carta. Enquanto você podia confiar na maioria das pessoas nos níveis mais básicos, ou seja, não matar você, machucar ou prejudicar você ou seus filhos, além disso era tão nebuloso quanto uma noite de queda nebulosa. As repercussões disto foram sentidas em todas as partes da sociedade hoje, desde as suposições de nosso chefe até a especulação sobre os vizinhos com os quais vivemos ao lado por anos. Tínhamos evoluído a cada década que passava, mas nem sempre para melhor.

Mary Ann acenou com a cabeça uma vez antes de navegar pela última esquina para o quintal.

Eu sabia que meus olhos se alargaram com a grande quantidade de residentes presentes. Havia uma soma saudável de veículos lá na frente, mas não o suficiente para transmitir este nível de comparecimento. Havia mais pessoas neste quintal do que em qualquer evento da alta sociedade que eu tinha coberto em Atlanta. A grama verde e aberta parecia continuar para sempre, assim como o número de participantes.

O cheiro celestial dos alimentos na grelha permeou o ar, oferecendo-nos uma recepção silenciosa e calorosa. As conversas zumbiram, ressoando em um único zumbido que se perdeu na luz, a brisa espalhada.

À nossa esquerda estava um deck de madeira superdimensionado, perfeito para sentar no final de um longo dia com uma bebida gelada. Uma grade erguida em cima era amarrada com videiras verdes que bloqueavam 60% dos raios de sol. Este espaço semi-sombreado foi atualmente o epicentro da agitação.

Uma mulher gorda de cabelo ruivo curto, sem maquiagem e avental sujo, mas com uma roupa de jeans imaculada e uma camiseta roxa embaixo, desceu os degraus da casa até as tábuas de madeira. "Barry, venha aqui e pegue isto", ela chamou.

Eu fiz um escaneamento do horizonte, procurando pelo homem que responderia.

"Vindo!" Um homem alto e bronzeado, com bíceps durante dias, preso na multidão. Ele era o epítome da cabeça de um músculo, mas se movia com tanta graça. Ele era rápido, obscurecendo seus detalhes com velocidade, mas leve em seus pés, como se ele pudesse se esquivar de qualquer coisa que viesse até ele.

Eu fiquei parado, observando-o enquanto ele tomava a bandeja transbordante de sanduíches de dedos da mulher. Foi só quando ele girou de volta com eles que eu peguei meu primeiro bom olhar para o bolo de carne.

Eu tive que forçar meus lábios a permanecerem juntos, mas minha mandíbula afrouxou mesmo assim. Meu coração deu um salto que eu tinha certeza de que não tinha feito antes, pois eu absorvi o deus dourado. Agora eu sabia porque Mary Ann tinha falado com tanta certeza. Deveria ser um pecado para um homem parecer tão bom assim. Seus olhos castanhos pareciam convidá-lo a entrar, seus suaves lábios rosados pareciam beijáveis, mesmo em repouso, e minha determinação derreteu na fenda em seu queixo.

Torta de cereja doce, eu estava em apuros.

Mary Ann me deu um sorriso largo e presunçoso. "Eu te disse". A voz dela me ridicularizou.

Eu cortei meus olhos para ela, desejando poder esbofetear o sorriso altivo dela, com o rosto inventado. "Só porque ele parece bem não significa que eu vou pular na cama com o homem".

Ela riu, mas foi um riso assombroso cheio de superioridade, como se ela soubesse de algo que eu não sabia. Ela se inclinava de perto, encontrando meu brilho; seus olhos brilhavam de alegria. "Isso é o que todos dizem", sussurrou ela.

Eu cruzei meus braços petulantemente. "Bem, eu não sou todos eles; eu não sou um número ou um entalhe em um estrado. Na cidade, nós não permitimos que nada interfira com a história, nem mesmo sex appeal".

O riso dela se transformou em um cintilante e sincero gritar de barriga para baixo. Ela estava gostando muito disso. "Então, você admite. Oh, querida. Você está dentro para um mundo de..."

"Se me dão licença, eu tenho um trabalho a fazer". Eu fui direto para a multidão, não me importando com quem eu falei primeiro. Eu estava menos de quatro horas na minha nova posição, e um completo estranho já estava testando minha dedicação.

Eu sabia que enfrentaria desafios, mas eu era um otimista sem bobagens. Eu estava confiante de que poderia lidar com o meu próprio... até que eu peguei um certo deus dourado sexy.

Havia apenas uma coisa que eu podia fazer: voltar à imaturidade da escola média e ignorá-lo. Mary Ann poderia entrevistar o convidado de honra. Em troca eu assumiria a dupla problemática de Seth e Calhoun. Isso me pareceu uma troca justa.

Se ao menos eu não tivesse subestimado a estrela do nosso artigo de primeira página.

QUATRO

Nada nunca mudou. Eu tinha saído por seis anos, mas voltei a ser o esquilo da festa novamente. Eu não sabia como meus irmãos evitavam isso. Ela nunca os chamou para carregar bandeja atrás de bandeja na multidão, sendo revistada e esbarrada ao longo do caminho a cada vez. Bastardos sortudos.

Não é que eu me importasse, mas cada semelhança com minha vida no Vale do Urso seis anos atrás me comeu. Isso alimentou minha crescente lista de razões para deixar minha cidade natal para trás. Aos olhos deles, eu seria sempre o urso pardo indomável que precisava de constante redirecionamento, não importando quais fossem as minhas realizações.

Merda. Eu soei como um calouro amargo em sua primeira turnê de serviço, reclamando de todas as merdas que ele não tinha ao invés de ser grato pelo pouco que ele fez. Foi frustrante como o inferno, no entanto, ter um relacionamento maior com o chefe dos mandachuvas dirigindo o exército americano do que com sua própria família, amigos e vizinhos. Eu precisava apenas sugar tudo e parar de ser uma vadia mesquinha sobre tudo isso. Eu não podia mudar ninguém; eu não podia forçar a opinião deles sobre mim a mudar. Eu tinha que ter paciência para provar a mim mesmo, ou a vontade de viver entre estranhos com um cadastro limpo.

Eu não sabia se eu tinha algum deles no momento.

"Este é o último deles por um pouco", minha mãe anunciou enquanto me passava a bandeja de prata empilhada com mais aperitivos.

Meu instinto era murmurar um 'Graças a Deus', mas eu sabia melhor. "Muito bem". Agarrando bem o metal, eu voltei para a grama embalada. Respirando fundo, eu me preparei para a viagem à frente. Era quase impossível tecer uma lata de sardinha com um prato superdimensionado de comida em suas mãos.

Eu rapidamente passei pelo grupo menos denso de pessoas reunidas no convés, fazendo uma linha para as escadas que levavam para o pátio. Se esta fosse uma zona de guerra, o deck seria o ponto de vantagem que eu escolhi, antes de trabalhar lentamente minha equipe em direção ao único carvalho de cem anos que sombreava a longa fileira de mesas, empilhadas com comida que desapareceu tão rapidamente quanto foi colocada no chão.

Logo que meus pés tocaram a grama, eu quase encontrei um gatinho sexy de salto alto.

O instinto me fez transferir a bandeja para um braço e estender a mão para estabilizá-la, mas, felizmente, eu me peguei. Eu não estava mais no campo, ela não era mais uma camarada descendo, e eu não achava que ela levaria gentilmente a um braço de búfalo que circundava sua região do peito, particularmente baseado na maneira como ela estava vestida.

As curvas marrons cremosas eram revestidas de vermelho e azul, as mesmas cores que a maioria da cidade usava atualmente graças ao fato de estar perto do Dia da Independência, mas elas pareciam muito melhores nela; o suficiente para revirar meu motor e mandar minha mente suja rodopiar. Ela mostrou apenas decote suficiente e perna suficiente para fazer minha boca ficar com água. Maldição. Eu tinha certeza de que ela teria o gosto tão decadente quanto parecia.

Meu olhar viajou de sua pedicure mais do que generosas curvas para seus lábios vermelhos. Senhor, tenha piedade. Eu lambi meus lábios, rezando para que ninguém notasse minha dureza. Foi um desafio não ajustar meu jeans, chamando, portanto, a atenção indesejada para minha virilha apertada.

Ela exalou suavemente, uma mão vai descansar em seu peito. "Eu sinto muito. Eu não a vi chegando. Você está bem?" As sobrancelhas dela perfeitamente arrumadas só o suficiente para ficarem bonitas.

Que porra é essa? Sobrancelhas bonitas? Eu estava escorregando'.

Eu me abanei mentalmente, chamando meu treinamento de campo. Foco no físico, não no mental, ou no emocional.

Eu a mostrei meu sorriso de marca registrada, aquele que toda mulher respondeu também. "Claro que sim, querida". A pergunta importante é: você está? Eu tenho armas de aço, e temo não conhecer minha própria força às vezes". Eu movi a bandeja para uma mão e flexionei meu braço livre, mostrando o que eu tinha construído durante os últimos seis anos no exército.

Ela franziu o sobrolho, o nariz dela franzindo com o movimento enquanto balançava a cabeça negativamente. "Isso pode impressionar as mulheres por aqui, mas de onde eu venho, você é um centavo a dúzia".

Fui pego de surpresa apenas por um segundo. "Ah, sim. Bem, de onde você vem, querida?"

Ela me considerou por longos dez segundos. Suas rodas estavam girando; ela tinha um ar arrogante para ela que de alguma forma só acrescentava ao seu apelo. "Será que isso importa?" Uma única sobrancelha se levantou e os lábios dela se encheram de luz enquanto ela me desafiava.

Ela era animada. Havia um fogo abrasador em suas profundezas que eu queria atirar querosene. Eu só sabia que a mesma ferocidade faria uma foda dos diabos.

Mantendo minha calma, eu decidi argumentar com ela. "Eu acho justo que eu conheça o calibre dos homens que estou enfrentando".

Avistando a Doninha, eu o movimentei, passando-lhe a bandeja no momento em que ele estava ao seu alcance. Ele não disse uma palavra, o que significava que ele estava mais do que bêbado, mas não completamente bêbado. Eu só esperava que ele tivesse o suficiente para levar a comida para a mesa com segurança.

A mulher não perdeu nada. Ela observou a troca toda de perto. Ela estava hiper-consciente agora. Ela me estudou, o olhar dela me perambulando abertamente, levando em cada detalhe.

Eu rio-me suavemente, sabendo que o meu sorriso mostrava as minhas covinhas. De acordo com a maioria das mulheres, elas me fizeram irresistível. Esperemos que elas tenham trabalhado com esta xícara de cacau frio. "Ou você estava mentindo ou não estava em casa há algum tempo, ou, talvez, você simplesmente não possa resistir a mim". Eu pisquei os olhos para ela, cruzando os braços para mostrar ainda mais minhas armas de atração.

Eu não conhecia a mulher na minha frente; diabos, eu nem sabia o nome dela, mas eu sabia que a queria. Ela me desafiou de uma forma que nenhuma outra mulher teve nos últimos dez anos. Ela era a diferente que eu nunca pensei que o Bear Valley pudesse oferecer.

Talvez eu tenha subestimado a minha cidade.

CINCO

Eu virei meus olhos. Mary Ann estava certa. Eu mal tinha falado algumas linhas para o homem quando ele foi todo encantador, piscando um sorriso com covinhas que eu estava certa de que a maioria das mulheres desmaiava, mas eu não era a maioria das mulheres. Então estava um pouco mais quente lá fora do que há dois minutos e, então, e se eu o achasse atraente, isso não significava que precisássemos nos despir e desabafar juntos.

Minha calcinha amortecedora parecia gritar comigo, chamando-me o que o Urso assertivo estava insinuando: que eu estava mentindo, ou atraído por ele, ou por ambos.

Eu expulsei uma respiração dura, estreitando meu foco em seus olhos, olhos que não conseguiam decidir se queriam ser aveleira ou marrom, e não aquela maldita fenda ou aqueles músculos, grandes e salientes, que me davam uma lasca de esperança de que ele conseguiria encostar minhas curvas à parede enquanto ele me levava.

Torta de cereja doce, o que há de errado comigo? Eu sou um jornalista de sucesso; eu sou um profissional, não uma história lateral fácil.

Copiando sua linguagem corporal, eu dobrei meus braços sobre meu peito, agradecido por uma vez que eu não era maior que uma copa C, para não inflar ainda mais seu ego já super inflado. Herói de guerra ou não, nenhum homem, com a exceção de Lance Gross, foi um presente de Deus para as mulheres. "Eu sou de Atlanta, uma cidade com seu próprio charme, sua própria reputação e seu próprio sortimento de sexy que poderia dar voltas com você a qualquer dia".

Seu sorriso se alargou, e seus olhos brilharam de maldade. "Bem, querida, claramente Atlanta e todo o seu charme, reputação e solteiros sexy te exilaram se você está aqui fora na zona rural com o povo do campo". Ele exagerou seu desenho, tirando certas palavras para apertar meus botões, eu tinha certeza.

Ele não o fez! O descaramento dele.

Eu inalei rapidamente. Eu jurei que podia sentir minha pressão arterial subindo, bombeando diretamente para minhas regiões inferiores, muito para minha decepção. O homem era enfurecido, alto, bronzeado e bonito e, caramba, ele estava certo. Nenhum dos meus "amigos" havia me oferecido tanto quanto um sofá ou mesmo um espaço no chão. Homens e mulheres que eu conhecia há anos só podiam fofocar sobre minha luta ao invés de dar uma mãozinha, permitindo que eu ficasse no único lugar que eu conhecia.

E isso foi o suficiente para deixar qualquer bêbado sóbrio.

A luta me deixou em um único whoosh de ar escapando dos meus pulmões. Eu soltei meus braços para o meu lado, agarrando o único acessório que eu tinha: meu telefone. "Por favor, veja Mary Ann para sua entrevista antes que a tarde chegue ao fim". Eu o estudei por alguns segundos, antes de desistir. "Bem-vindo a casa, Sr. Jacobs". Eu dei a ele um aceno de cortesia e procurei uma pausa na multidão.

"Espere!" Sua mão escovou meu ombro levemente, mandando formigueiros agitando enquanto ele o puxava de volta. "Desculpe. Isso foi uma coisa idiota de se dizer. Sinta-se livre para me dar um tapa".

A raiva me apressou, apertando meu peito, mandando meu pulso para cima. Eu olhei para ele. Infelizmente, porém, seu apelo não recuou. "Então eu posso compartilhar uma manchete com você? Não, obrigado".

Tivemos homens deliciosos em Atlanta; tivemos homens com riqueza e charme, homens com agitação e músculos, e homens com aparência e grau. Havia uma infinidade de homens em Atlanta que tinha alguma porção da fórmula que compõe o Urso, mas ele era diferente. Talvez tenha sido a vantagem militar do mauzão que me fez ir; eu certamente tinha namorado minha parcela de meninos maus na minha juventude, muito para o horror da minha mãe.

Mas isso não explicou porque eu estava ansioso para escapar dele.

A verdade é que eu sabia que se eu não saísse, ele me enganaria. Eu senti o pequeno puxão no meu peito, aquele que justificava o calor que corria pela minha figura extra cheia. Eu estava perto de explicar o que eu já sabia: a história sempre foi melhor do que o sexo.

Ele me observou por um longo minuto. "Então, você é a nova repórter Mary Ann contratada?" Suas palavras me sacudiram da minha contemplação.

Eu o olhei fixamente. "Demorou tanto tempo para juntar as peças?" Eu fechei meus olhos brevemente, surpreso por não ter me encolhido visivelmente com a mordida na minha própria voz. Eu pude lutar verbalmente com o melhor deles, mas eu não cruzei aquela linha profissional e de negócios normalmente.

Normalmente.

Eu estava lutando para manter o profissional separado do pessoal, e o homem nem sabia meu nome.

Eu suspirei, franzindo o sobrolho enquanto eu me concentrava na grama debaixo dos meus sapatos. Isto não era chique, isto não era sexy; isto era desespero. Teria sido realmente assim há tanto tempo? Será que eu tinha me aproximado daquela linha dura, incapaz de controlar meus próprios hormônios, devido à falta de liberação recente?

Levantando minha cabeça, eu olhei para ele. O sorriso tinha desaparecido, o charme se escondeu; ao invés disso, eu fiquei surpreso de ver preocupação.

Suas sobrancelhas se enrugaram, seu olhar tinha se estreitado marginalmente e seus lábios se abaixaram levemente nas bordas enquanto ele me estudava. A luta o tinha deixado. Talvez ele tenha sido o primeiro homem a ver além da minha fachada a mulher confusa e quebrada por dentro.

Talvez tivesse chegado a hora de eu parar de tentar passar como classe média alta quando todos lá em casa sabiam que eu cresci no bairro, nas favelas da minha "grande" cidade natal.

No colegial, minha mãe me mandou para a escola de etiqueta. Ela tinha trabalhado em dois empregos de salário mínimo desde que eu me lembro, e fez até o dia em que ela passou, raspando para sobreviver. Ela admitiu que estava reservando fundos para isso desde que eu estava no ensino fundamental, sabendo que seu sotaque insular, seu inglês quebrado e a falta de etiqueta cultural a separavam ainda mais do escalão superior. Ela queria que eu fosse mais do que ela era e que eu tivesse mais oportunidades do que ela.

"E, querida, não deixe nenhuma pessoa dizer que você é diferente. Você é inteligente, é linda e vai longe. Não deixe que nenhum homem olhe para baixo para você como se fosse eu".

"Mau dia?", perguntou ele.

Eu pisquei em rápida sucessão, tentando limpar minha cabeça enquanto olhava para ele.

A cada poucos segundos ele escaneou o horizonte, mas seu olhar sempre voltava para mim.

Quando eu continuei apenas a olhar para ele, eu claramente dei a ele a impressão errada.

Seu sorriso presunçoso voltou lentamente, completo com covinhas. Ele enfiou suas mãos em seus bolsos de jeans. "Querida, quanto mais cedo você admitir que me acha sexy, mais cedo eu poderei fazer você se sentir bem".

Tudo bem, talvez eu tenha mostrado minhas cartas mais cedo e lhe tenha dado a impressão certa, mas eu não estava para admitir isso. Um bom jornalista sempre recupera o controle da conversa. "Querida, é preciso um tipo especial de homem para agradar este pedaço de chocolate, e você não é isso. Então você pode poupar seu fôlego, esconder seu charme e piscar essas covinhas em alguma outra mulher porque isso não vai acontecer comigo". Eu endireitei minhas costas, recuperando apenas confiança e compostura suficientes com aquela única entrega para pressionar adiante. "Agora, se você pudesse gentilmente me apontar na direção de seu pai e de Calhoun, eu apreciaria muito". Eu dei a ele um sorriso educado, que foi inteiramente profissional e não era nada genuíno.

Ele não vacilou. Ao invés disso, seus olhos tomaram uma vibração que eu ainda não tinha visto. Ele estendeu um cotovelo na minha direção. "Deslize seu braço através do meu, e eu o acompanharei pessoalmente".

Meus seios incharam com a idéia de seus bíceps escovando-os até mesmo minuciosamente. Meu padrão respiratório foi interrompido temporariamente até que eu pudesse me recompor. Eu engoli com força, soprando uma pequena respiração. Eu gesso o mesmo sorriso de negócios no meu rosto enquanto falava. "Isso realmente não será necessário. Se você me apontar na direção correta, eu poderei encontrar meu caminho".

Deixando cair seu braço, ele me olhou para cima e para baixo, seu olhar escurecendo, matando o brilho do coração claro que havia estado lá. De repente, ele entrou no meu espaço, desafiando-me. "Você tem uma teimosia de uma milha, mas, então você sabe, querida, isso não vai me impedir. Eu sempre consigo o que eu quero". Ele piscou o olho.

Meu sorriso foi genuíno desta vez. Ao tentar empurrar minha mão, ele havia revelado a sua, dando-me o poder. "Sinto-me lisonjeado por você me querer, Sr. Jacobs, mas você não sabe nada sobre mim além do meu trabalho e aparência".

Ele riu suavemente; o barítono rouco dele vibrou através de mim, enviando um novo desejo que brotou do meu núcleo. "Querida, não tente brincar comigo. Eu estava na Marinha; eles me treinaram para tudo, incluindo como ganhar fãs em uma cidade de inimigos. Agora se você quiser fingir que não está nem um pouco excitada com a minha presença, vá em frente. Mas talvez você queira ficar melhor para encobrir os sinais".

Meu coração decolou, correndo rápido, assustado com as horas extras.

Ele escovou as pontas dos dedos ao longo da veia na lateral do meu pescoço. "Seu sangue está bombeando muito rápido para uma mulher que está fingindo que está calma". Ele seguiu seu toque até a minha têmpora, minha respiração aumentando com cada centímetro de pele que ele passou. "E este toque de transpiração não é do calor do exterior ou da multidão ao nosso redor, mas você já sabia disso".

Eu cerrei meus dentes, apeguei-me ao meu orgulho, lutando contra suas tentativas de me influenciar para a submissão.

Seus dedos viajaram por cima da minha mandíbula. "Isto é a prova de que você está tentando me provar que estou errado". Ele se inclinou para mais perto, seus lábios escovando perto das minhas orelhas. "Mas isso realmente só prova que eu estava certo".

Ele se endireitou, encontrando meu olhar novamente. Ele desenhou uma linha suave nos meus ombros, sobre as alças do meu vestido e descendo pela encosta até o meu braço superior. Minha carne se amassou sob a carícia dele. Ele vislumbrou para baixo na minha pele, sua arrogância aumentando. "Você não tem arrepios no calor sem motivo, querida".

Meu hálito se prendeu e meus olhos se alargaram enquanto a ponta dos dedos dele se movia para os meus seios, circundando a plenitude em suas extremidades. Seu sorriso altivo me provocou. "Querida, eu acredito que suas vigas altas estão ligadas".

O anúncio dele me chamou a atenção. Meus lábios se separaram em desânimo. Eu bufei, batendo a mão dele para longe. Cruzei meus braços sobre meu peito. "O que há de errado com você? Há pessoas em todos os lugares".

Ele riu. "Tenho certeza que a maioria deles não são virgens, então isto não é nada que eles não tenham visto ou experimentado antes".

Eu amassei meus lábios juntos, praticamente suplicando ao Senhor por paciência. A adrenalina passou por mim. Doce torta de cereja, eu nunca quis tanto bater em um entrevistado. "Nós terminamos. Eu vou encontrar Seth e Calhoun por conta própria". Eu empurrei meu caminho para outra parte da multidão.

O homem não tinha nenhum respeito por mim. Ele estava expondo minha fraqueza por ele na frente de metade da cidade, como se mostrasse que nenhuma mulher poderia resistir a ele e que não adiantava tentar. Ele precisava ser ensinado uma lição. Ele precisava que seu ego fosse demolido. A confiança era sexy; a arrogância era...ainda sexy nele. Maldição.

Mas deixá-lo para trás não apagou a resposta que ele havia chamado para a minha superfície. Meu corpo zumbiu por ele, querendo se render, se ao menos eu estivesse disposto a sacrificar meu orgulho, minha ética e minhas calcinhas.

SEIS

Eu vi as curvas doces dela fugindo. Não havia melhor confirmação do sucesso. Eu tinha chegado até ela. Ela tinha me contado a verdade sem uma única admissão. Eu não iria mais longe com ela, no entanto, sem a ajuda de uma pessoa: Mary Ann.

Eu precisava de um nome.

Empurrando meu caminho de volta para cima dos degraus, eu olhei para o pátio. Fazia seis anos desde que eu tinha visto o operador de imprensa da cidade, mas desde que nada mudou no Vale do Urso, eu imaginava que ela também não tinha mudado.

Comecei a vê-la se aproximando de Calhoun e do meu pai. Pelos olhares que eles trocaram na chegada dela, eu sabia que eles iriam se meter com ela. Acho que eu iria ver o quanto a minha garota da cidade era arrogante.

Avistando o Gator, eu desocupei o convés e fui direto para ele. Seu braço estava pendurado em volta de uma loira curvada; ela estava bem vestida, mas não prendeu minha atenção.

Sem olhar para ele, eu mergulhei bem dentro. "Você viu Mary Ann?"

As sobrancelhas dele se animavam; ele se abria para mim como se eu tivesse chifres. "Você perdeu um olho ali?"

Eu arranhei minhas feições, abanando minha cabeça. "De que porra você está falando, Gator?"

Ele olhou para a loira. "Mary Ann está bem aqui, imbecil". Ele a apertou mais de perto contra o seu lado.

Ela abriu um sorriso. "Sou eu, Urso". Sua voz guinchou levemente.

Eu sabia que minhas sobrancelhas estavam quase beijando minha linha de cabelo. "Você parece..."

"Muito bem, porra", exclamou Gator, me cortando. Ele a ogrou abertamente como uma cerveja gelada no convés em um dia quente; eu jurei que babava no canto dos lábios dele. "Melhor do que ela já parecia no colegial, certo?" Ele piscou o olho para ela.

Ela corou, desviando o olhar, tentando esconder o seu sorriso.

Parado lá, eu senti que estava na porra da Twilight Zone. Gator nunca havia olhado para uma mulher como outra coisa que não fosse uma boneca sexual aquecida. "Quando vocês dois aconteceram?" Eu dobrei meus braços sobre meu peito.

"Agora mesmo". Gator não tirou os olhos de cima dela.

Gator tinha cerca de meia altura com cabelos castanhos escuros, uma constituição corpulenta e pêlos faciais quando não tinha vontade de se barbear, o que era frequente. Mary Ann era baixa, loira, sempre tinha excesso de peso e tagarela. Já era hora desses dois terem uma firmeza; eu simplesmente nunca os emparcei juntos. "Bom para você". Eu acenei com a cabeça uma vez, assegurando minha aprovação à Mary Ann, que era a única que me dava atenção. "Agora, Mary Ann, qual é o nome daquela nova repórter que você contratou?"

Ela coçou a testa, parecendo um pouco confusa. "Você quer dizer Shae?"

"Descreva-a". Meus ouvidos não tinham se animado tanto desde meu primeiro dia no campo de batalha; por coincidência, eu testemunhei minha primeira explosão de IED naquele mesmo dia. Realmente fode você. Você começa a ouvir cliques e pinos estalando por toda parte.

Ela se esparramou, claramente desconfortável. "Hum, bem, ela tem cerca de cinco e cinco anos com cabelos pretos que têm reflexos caramelizados, e, oh! Ela está usando um vestido azul marinho com saltos".

Um sorriso me partiu o rosto. "Qual é o sobrenome dela?" Era melhor saber muito do que não o suficiente.

Ela mordiscou seu lábio inferior, seu olhar passando entre Gator e eu cautelosamente. Era óbvio que ela não sabia se deveria me contar.

"O nome dela estará no jornal em breve. Você não está revelando segredos nacionais".

Ela suspirou suavemente, acenando com a cabeça. "É mais a confidencialidade funcionário-empregador, mas você está certo. A cidade inteira saberá disso em breve".

"Saber o quê?" Gator perguntou, finalmente quebrando seu transe.

Eu virei meus olhos. "Nada de importante. Volte para oglin'". Eu engoli, galinhando minha cabeça com expectativa. "Seu nome, Mary Ann".

"Ah, certo. Hum, é Shae Roberts".

Inclinando-me, dei uma bofetada no bíceps esquerdo do Gator e dei uma bicada na bochecha da Mary Ann rapidamente. "Obrigado, boneca".

"Hei, filho da puta! Eu a reclamei primeiro". Gator me empurrou para longe com força suficiente para bater meu equilíbrio.

Por pouco não entrei em colisão com a Sra. Henley. Ela era uma mulher legal, mas ela tinha pelo menos dez "ferimentos" a cada ano causados por alguém que não ela mesma, e tinha tentado processar quase todos na cidade em algum momento ou em outro por algo similar.

Eu mesmo disse: "Ela é toda sua, amigo". Eu estou de olho em outro prêmio". Eu me separei antes que ele pudesse ficar mais nervoso.

Gator não era territorial normalmente. Diabos, ele e Weasel tinham compartilhado algumas mulheres ao longo dos anos. Não era o meu estilo, mas prova o meu ponto de vista.

Merda. Talvez as coisas estivessem mudando no Vale do Urso.

Eu forcei um caminho através da multidão, em direção ao último lugar onde eu tinha visto o meu pai e Calhoun. Eu cheguei bem a tempo de testemunhar Calhoun se afastando tranquilamente. O homem tinha cabelos vermelhos flamejantes e uma barba vermelha a condizer; você não podia deixar de notar o homem irlandês na multidão, mas ele tinha puxado o ato de desaparecer uma centena de vezes, e eu sabia o truque que estava vindo.

Permanecendo a alguns metros de distância, eu estava pronto para resgatar a donzela, mas somente se necessário.

"O que você mais anseia, agora que o Urso está em casa, Sr. Jacobs?" Shae segurou seu telefone em direção ao meu pai. As pessoas disseram que ele era uma versão mais magra de mim quando ele era mais jovem, mas a única semelhança que eu vi foi que eu tinha o queixo dele.

O pai checou o chão, esperando que o inferno se soltasse. "Bem, eu acho que..."

O roedor correu em direção ao seu alvo, alcançando rapidamente os sapatos de Shae. Seu nariz se torceu quando ele se esticou para cheirá-la.

Shae olhou ao redor, suas sobrancelhas beliscando e seus lábios virando para baixo, provavelmente sentindo sua nova amiga aos seus pés. Ela deixou cair o olhar em seus sapatos, descobrindo o rato branco ao lado de um. Sem perder um ritmo, ela declarou: "Por favor, segure isto, Sr. Jacobs". Ela pressionou cegamente seu telefone para o peito do meu pai, mantendo os olhos na grama.

Eu me endireitei ao máximo, esticando minha cabeça para ver tudo enquanto os vizinhos se moviam ao meu redor. Felizmente eu já havia conversado com a maioria deles antes da festa de hoje.

Em uma pequena varredura, Shae se dobrou nos joelhos e agarrou o rato pela sua cauda e depois pelo seu pescoço, segurando cada extremidade competentemente.

Maldição. Isso foi inteligente da parte dela. Isso garantiu que ela não pudesse ser mordida.

Ela se levantou, com o rato na mão e um brilho firme e desaprovador em seu rosto. Seus olhos se estreitaram, atirando punhais no meu pai.

O homem não poderia parecer mais culpado. Seus olhos estavam largos de surpresa.

Amaldiçoando seus lábios, como que para desafiá-lo, ela sentou o rato em seu peito e o soltou. O animal subiu um pouco mais alto antes de congelar. "Você sabe como eu sei que ele ou ela não é selvagem ou perigoso?" Ela estendeu a palma da mão para o seu telefone.

Relutantemente, meu pai passou para ela, permanecendo em silêncio como ele o fez.

"Porque não lutou por sua liberdade quando eu a agarrei". Cuidadosamente coletando o rato com uma mão, ela o passou para o meu pai. "Eu assumo, baseado na saída dele, que o rato pertence a Calhoun".

"Bem, eu vou ser". Calhoun pisou em sua linha de visão. Linhas amarrotaram sua testa enquanto ele levava seu animal de estimação de volta. "Vamos malucos ".

"Malucos?" Shae fez uma testa, esperando por uma explicação.

Calhoun encolheu os ombros. "Porque todos ficam loucos quando o vêem; 'exceto você que é".

Eu ri silenciosamente. Foi engraçado como o inferno ver um homem crescido despejando porque sua brincadeira falhou. Se eu não tivesse partido para os militares, eu imaginei que teria sido a Doninha, o Gator e eu. Estávamos indo por aquele caminho; inferno, pelo que eu tinha visto desde que eu voltei, eles ainda estavam.

"Bem, antes de vocês investirem em outro travessura, vocês devem saber que eu sou alérgico a vespas, matei uma viúva negra no meu quarto quando criança, e vivi ao lado de um criador de cobras ilegal por sete anos. Eu deitei amendoins no chão para esquilos no outono e consumi tudo, desde veados até jacarés e até intestinos de porco. Eu não sou reticente e não me assusto facilmente. Só porque eu me visto como um bisbilhoteiro, não significa que eu seja um".

"Foi a idéia de seu cérebro de dedos". Calhoun apontou para seu melhor amigo antes de decolar.

"Maricas!" O pai gritou.

Algumas pessoas pararam de bater papo para finalmente dar atenção. Essa foi a minha deixa para entrar.

Com alguns pequenos passos, eu estava ao lado de Shae. Eu me inclinei para dentro dela. "Há mais alguma coisa que eu deva saber sobre você, Srta. Roberts?"

O olhar dela passou cautelosamente entre meu pai e eu.

Eu sabia que o meu velho tinha o brilho nos meus olhos, aquele que estava apostando sua reivindicação na mulher ao meu lado. A reação dela à brincadeira deles tinha ganho sua aprovação imediata com ele, eu estava certo.

O rosto do pai se partiu com um sorriso de merda. "É melhor eu ir procurar Calhoun antes que ele fique com o xerife todo irritado de novo".

"Eu ainda não terminei minha entrevista. Qual seria a melhor hora para eu dar a volta até você, Sr. Jacobs"?

Ele conheceu o olhar dela, uma centelha de maldade no seu. "Por que você não pergunta ao meu filho?" Ele foi embora, deixando-nos.

Ela suspirou, apertando alguns botões em seu telefone. "Acho que posso tentar salvar uma ou duas linhas disto", ela murmurou. Ela estava me ignorando, ou pelo menos tentando fazê-lo.

"Atlanta não é bem a cidade que você a pintou para ser antes", eu disse.

Ela girou para me encarar de frente. Um fogo se acendeu em suas profundezas, comandando toda a minha atenção. "Eu não pintei a cidade, Sr. Jacobs". Eu pintei um grupo seleto de homens dentro dela. Por favor, não coloque palavras na minha boca".

Ela foi aquecida. Definitivamente, eu tinha me dado um golpe de coragem, embora eu lhe desse um ponto de cortesia profissional com o "por favor".

"Você está muito irritado com esses homens". Eu sabia que estava empurrando-a, mas eu amava a maneira como ela me desafiava. Muitas mulheres só me queriam como um troféu para se exibir, e deixaram sua espinha dorsal fora do nosso encontro. Ela era o sopro de ar fresco que eu estava precisando. "Você está muito perto de me ofender desde que você nos juntou".

Suas sobrancelhas se ergueram e suas narinas queimaram. Ela amassou seus lábios juntos, cruzou os braços, como para se proteger discretamente, e soprou uma respiração dura. Eu não perdi a maneira como seus seios inchavam, a maneira como seu rosto corria, ou o aumento do seu batimento cardíaco. Eu não conseguia ouvir, mas eu sabia que tinha dado um chute em excesso.

Foi difícil não se vangloriar. Ela fez para um oponente sexy que eu queria transformar em um bem. Droga, ela estava cheia de ativos mocha bonitos.

"Você quer falar sobre ofensas? Você tentou me seduzir na frente de uma multidão para tirar suas brincadeiras, não parando para pensar em mim de forma alguma. Você me tocou em áreas inapropriadas, e a maneira como você continua me atacando é a definição de assédio. Você é implacável porque, se os rumores estão corretos, você já teve todas as mulheres disponíveis nesta cidade antes. Eu entendo isso. Eu sou um peixe fresco em um lago cheio de idosos para você, mas eu sou um jornalista, Sr. Jacobs. Eu já vi a história se repetir muitas vezes antes, e me recuso a ser mais uma lição de história". Suas curvas suaves eram rígidas com a tensão, tensão que eu estava confiante que poderia conquistar.

"Alguém te queimou, querida, mas não fui eu. Mas se você precisar de um saco de pancada, eu levo a surra". Eu a estudei, segurando minhas emoções à distância, como se eu estivesse no campo. Conhecendo seu olhar, eu lhe assegurei: "Eu posso lidar com você, Shae".

Ela se abriu para mim por um longo minuto. Soltando os braços, ela expulsou uma respiração suave. "O que você quer de mim, Sr. Jacobs?"

Finalmente! Eu tinha rachado aquela casca externa dura dela. "Eu não sou seu pai, seu empregador ou seu superior, então me chame de Urso".

Ela acenou uma vez com a cabeça. "Muito bem. O que você quer de mim, Bear?"

"Eu quero que você pare de fazer suposições". Você não me conhece melhor do que eu o conheço, mas eu quero mudar isso. A maioria das pessoas da cidade são a favor da igualdade de oportunidades. Dê-me isso, querida, e eu juro que você não vai se arrepender".

Sua expressão era ilegível. Normalmente, se eu vislumbrava o rosto do meu inimigo, eu sabia o tipo de pessoa com quem eu estava lidando e podia prever melhor seus movimentos; isso tirou a natureza da mesa. A Shae era diferente. Todo o meu treinamento não fazia diferença com ela. Ela era imprevisível, e maldita fosse, ela fazia o meu sangue bombear e minha pila subir.

"Eu não misturo profissional com pessoal, Bear; por isso, enquanto você for minha tarefa histórica, nada vai acontecer entre nós".

Jackpot. Eu mordi um sorriso. A pressão no meu peito diminuiu pela primeira vez desde que voltei do Afeganistão. "E depois?".

Ela pisou na minha direção, o braço dela escovando o meu. Foi um movimento tático, se eu já tivesse visto um. "Eu sou jornalista, Bear. Eu me coloco lá fora por ninguém sem provas". Ela começou de novo no enxame de corpos.

Eu me virei para vê-la recuar. "Prova de quê, Shae?"

Ela parou, olhando de volta para mim por cima do ombro dela. "Qual seria a graça se eu lhe desse todas as respostas?" Ela desapareceu, seus quadris largos balançando sedutoramente, seu traseiro me chupando a cada passo.

Ela é cheia de surpresas.

Meu pau latejou. Um mês inteiro sem nenhuma liberação não chegou perto da necessidade de constranger meus garotos neste momento. Eu não sabia muito sobre Shae Roberts, mas eu sabia que faria o que fosse preciso para tê-la.

SETE

Um Mês Depois...

Afastar-se de Bear naquele dia foi contra todos os instintos que eu tinha, mas o que a experiência não me ensinou, foi a minha mãe.

"Não deixe o dem falar que você está em pecado. Dey fala e fala até Dey conseguir o que Dey quer. Não deixe nenhum homem deixar você ser como o Dey me deixou. Você é inteligente, você é bonita e tem mais palavras, Shaely. "

A experiência me contou que a história sempre foi melhor que o sexo, e que minha mãe estava certa. O urso tinha sido todo falado naquele dia. A única coisa que ele tinha demonstrado era que ele era um falinhas mansas com uma agenda. Nas semanas seguintes, ele tinha provado que era mais do que um ex-militar em uma missão.

Ele era engraçado. Ele disse que adorava me ver sorrindo, rindo e me soltando com ele. Ele era inteligente, espirituoso, e disposto a me debater sobre qualquer tópico. Ele não se conteve com nada, o que levou a muitas noites de sonhar acordado sobre como isso se traduziria entre as folhas com ele.

Nós tínhamos tido onze datas, duas delas eram datas duplas com Gator e Mary Ann. Ele me surpreendia regularmente com flores, almoço e cappuccinos desde o momento em que aprendeu o que eu gostava. Sempre o planejador estratégico, ele orientou suas perguntas em nosso primeiro encontro para descobrir o máximo possível sobre meu paladar.

Com o passar dos dias, eu tinha aguentado, esperando que seu interesse diminuísse.

Mas não foi assim. Se alguma coisa, apenas se intensificou, e meu desejo por ele imitou esse padrão.

A maioria dos homens teria desistido por data três quando eu continuei a lhe dar minha bochecha quando ele tentou me beijar.

Mas Bear não o fez.

Eu tinha chegado ao ponto de não retorno agora. Ele me queria, ele tinha provado o mesmo e eu o queria. Eu tinha queimado um pacote de oito baterias no mês passado porque, vamos encarar os fatos, um vibrador nunca mais será o mesmo; é apenas o melhor segundo para uma mulher desesperada. Por mais que eu estivesse tentando manter o Urso, seu charme, sua inteligência e boa aparência, à distância, meu corpo tinha lutado pelo oposto.

Desculpe, mamãe. Todos têm seu ponto de ruptura, e Bear me carregou um pouco mais perto do meu com cada ato de bondade e intenção.

"Querido, quando você vai tirar o pobre garoto de sua miséria?" Mary Ann apertou um punho contra cada lado do seu vestido na cintura. Ela tinha aberto um cartão de crédito e me sequestrado para um dia de compras em Atlanta alguns dias após a festa. Ela comprou um guarda-roupa totalmente novo que se misturou bem com o meu. Entre a roupa e o seu romance com Gator, ela era uma mulher completamente diferente.

"Você fala como se ele fosse o único que está sofrendo. As mulheres também têm necessidades". Eu peguei meu cappuccino da minha mesa e tomei um pequeno gole.

Decidindo não pairar mais, Mary Ann sentou-se na cadeira de madeira do outro lado da minha mesa. O Urso tinha entrado para me ver tão freqüentemente que era um grampo permanente no meu escritório. "Eu não sei como você fez isso". Gator estava na minha casa na mesma noite depois do churrasco e não saiu desde então, não que a mãe dele sinta falta dele". A mulher me mandou uma cesta de agradecimento uma semana depois me dizendo para ficar com ele o tempo que eu quisesse".

Um sorriso puxado nas bordas dos meus lábios. "Estou feliz que tenha funcionado para você, mas você me avisou bem sobre o Urso".

Ela arranhou o nariz. "Talvez bem demais".

Eu virei meus olhos, balançando minha cabeça levemente. "Não se preocupe. Em breve seremos atendidos".

Ela se inclinou na minha mesa, praticamente salivando para o que certamente se transformaria em fofoca. Mary Ann não conseguiu guardar um segredo para salvar sua vida. Ela definitivamente escolheu a carreira certa, mas com ela não havia tal coisa como "fora do registro".

"Em quanto tempo?" ela pressionou.

Eu a olhei fixamente do outro lado da mesa. "Em breve".

Ela guinchou, chicoteando de volta na cadeira, um enorme sorriso levantando as bochechas. "Ooh! Você sabe que eu quero detalhes, querida, certo?"

Isso não foi uma surpresa. "Você sempre quer detalhes".

Ela enfiou o nariz no ar, se arrogando por um momento. "Os detalhes fazem a história".

"Não, querida, as palavras fazem a história. Jornalismo é sobre fatos e declarações, dando a todos informações suficientes para formar suas próprias opiniões, mas não tanto que eles sejam influenciados. E você não precisa de detalhes para isso".

Ela riu. "Eu não disse que precisava deles; eu disse que os queria, Srta. Todos os fatos".

"Muito bem. Ponto feito". Eu fiquei de pé e juntei meus pertences. Engoli o último do meu cappuccino antes de jogar o copo de papel vazio no lixo ao lado da minha mesa. "Estou muito além dos meus quarenta esta semana depois de todo o drama com o condado tentando rezonear o Vale do Urso, e esta cidade não paga nem o suficiente para quarenta horas de reportagem".

Mary Ann se levantou, indo para o salão além da porta do meu escritório. Seus calcanhares de gatinho se agarraram ao longo do piso de parquet arranhado. -- Nós ainda estávamos trabalhando na parte dos calcanhares. -- Eu vou cobrir qualquer evento que apareça neste fim de semana. Você só trabalha para que isso 'em breve' aconteça".

Eu a olhei nos olhos, neutralizando minha expressão de antemão. "Eu não vou confirmar ou negar a sua insinuação".

"Maldição!" Ela estalou seus dedos. "Henry nunca foi bom em ler nas entrelinhas".

Fechando a porta do meu escritório atrás de mim, eu parei em frente a ela. "O que você esperava? De acordo com você, ele era um velho senil que certa vez escreveu um artigo afirmando que alienígenas tinham dado a doença das vacas loucas do gado".

Um sorriso rachou o rosto dela. "Eu não consigo passar nada além de você. Como seu chefe, eu adoro ver isso em seu trabalho, mas como seu amigo, às vezes eu o odeio por isso".

"Isto vindo de uma mulher que usava uma camisa de morango pintada quando eu a conheci". Eu risquei. "Querida, você está muito melhor com minhas técnicas de empedramento do que sem elas. Eu te trouxe para o fabuloso que você é hoje, então me dê algum espaço e me deixe trabalhar até o mesmo fabuloso em Bear e no relacionamento do meu".

Ela olhou para mim por alguns segundos antes de acenar com a cabeça em concordância. "Muito bem, querida. Eu acho que posso fazer isso. Boa sorte neste fim de semana. Espero que você aproveite ao máximo, se você sabe o que quero dizer".

Eu sacudi a cabeça de consternação, passando por ela. "Você me mata, mulher!"

"Você me ama!" ela gritou de volta.

Eu parei e olhei de volta para ela. "Tenha um bom fim de semana, Mary Ann".

Uma faísca apareceu em seus olhos. "Oh, eu sei que sim". O Gator deve ter as algemas do Xerife Bill emprestadas". Ela abanou as sobrancelhas.

Eu sabia que meus olhos se alargaram. "Eu não estou tocando aquele". Eu girei e saí pela porta, o riso de Mary Ann carregando na minha direção à distância.

Desde que eu entrei para o jornal, as vendas tinham aumentado; quase oitenta por cento da cidade agora comprava um exemplar a cada semana. Infelizmente, eu ainda estava sendo pago perto de amendoins, mas eu não me importei. Eu estava feliz. Eu tinha o suficiente para todas as minhas contas, o suficiente para comprar o cappuccino ocasional, e o suficiente para comprar a lingerie sexy que eu planejava usar para o Bear esta noite. Ele pensou que estava vindo me buscar para um jantar tardio, mas eu tinha outra coisa em mente.

Eu verifiquei o tempo no meu telefone. Já eram quase sete. Saltos clicando na calçada, eu fiz uma linha para o meu carro. Eu tinha um ex-marinho sexy para surpreender.

OITO

Meu coração saiu ao bater na porta da frente. Eu olhei para o espelho, garantindo que tudo estivesse no lugar antes de eu ter sacudido a túnica de seda branca por cima dele. A pouca carne que eu cobri estava envolta em rendas brancas, rendas brancas que forneciam uma barreira, mas que não escondi exatamente. Bermudas, um sutiã que mal cobria meus mamilos - quanto mais escondê-los - uma liga na minha coxa esquerda e saltos dos pés nus era tudo o que eu usava debaixo do manto.

Eu expulsei um fôlego, desejando que meu coração se acalmasse. Eu nunca tinha feito nada assim antes, e, aparentemente, os nervos eram inerentes. Eu sabia que o Urso iria acalmá-los, mas eu só esperava que ele não me deixasse furioso. Deus sabia que ele poderia me irritar mais facilmente do que qualquer outro que eu já tivesse conhecido antes.

De pé atrás da porta, eu a abri, permitindo que ele entrasse sem me ver no início.

"Sha-" Sua chamada para mim parou abruptamente no meio do anúncio quando ele me viu. Ele empurrou a porta e a trancou; tudo enquanto seu foco estava em mim.

Eu mordi meu lábio inferior, levando-o para dentro. O cabelo dele estava em desordem descuidada, encaracolando sempre tão levemente nas pontas. Jeans pendurado em baixo o suficiente nos quadris para ser sugestivo. Uma camiseta preta agarrada à sua forma, mostrando seu belo físico musculoso. Os olhos dele escureceram, escolhendo uma tonalidade marrom esta noite. Ele tinha feito a barba mais cedo.

"Olá, sexy". O olhar dele passou por cima de mim mais uma vez. "É melhor você ter algo adequado por baixo disso ou o jantar está cancelado".

Lutando para manter uma cara séria, eu respondi: "Espero que você tenha comido então".

Ele lambeu seus lábios. "Você é todo o sustento que eu preciso".

Meu sorriso quebrou. "Conversas suaves não vão te levar a lugar algum".

"Isso me levou a esta noite, não foi?" Ele fez uma sobrancelha. Ele observava cada respiração minha, cada movimento meu.

Eu balancei minha cabeça negativamente. "Não. Ser mais do que um falinhas mansas te trouxe aqui".

"Não tenho sorte". As palavras soaram como um pensamento posterior. Sua atenção estava em minhas mãos, movendo-se lentamente para desatar o nó na minha cintura.

"Isso é um fato?" eu perguntei, verificando se ele ainda tinha a sua perspicácia sobre ele.

"Qualquer homem que tenha tido você é".

"Tinha? Eu engoli com força, agarrado à minha confiança vacilante enquanto ele arrancava um canivete.

Ele conheceu meu olhar, me segurando no lugar com apenas um olhar. Fechando a distância entre nós, ele agarrou a faixa e, com um golpe de fluido, ele a cortou em pedaços, permitindo que o manto caísse aberto. "Eu te comprarei um novo".

Ele me soltou, abaixando em minhas curvas abundantes. Ele seguiu seus dedos sobre minha carne exposta.

O calor correu através de mim, juntando-se no meu ápice. Formigueiros se arrastaram atrás da ponta dos dedos, chicoteando meu coração a cada vez. Mais rápido e mais rápido, mais e mais forte, meu coração batia; meus mamilos se empurravam enquanto eu o via me estudar como se um teste estivesse vindo em cada mergulho e guinada.

Ele arrancou sua camisa e a jogou no chão. Com um único puxão na cintura da minha calcinha, ele fechou nossa distância e capturou meus lábios.

Arrepios correram pela minha coluna. Seus lábios eram imperdoáveis. Ele era dono da minha boca; ele estava em total controle enquanto provava e provocava meus lábios e minha língua. O calor do seu corpo me cercou enquanto ele arrancou o manto de mim.

Meu bichano pulsava enquanto ele cortava meu lábio inferior. "Você não respondeu minha pergunta". Eu estava perto de ofegar, e sabia que precisava maximizar no momento do adiamento.

Metodicamente, ele seguiu suas mãos pelas minhas costas. As palmas das mãos dele se enrolaram ao redor do meu tronco. Com uma sacudida rápida, sua ereção pressionou meu estômago inferior através de seu jeans. "Eu não compartilho e não planejo ser tão estúpido quanto eles eram. Você é minha, querida". Cada centímetro doce de você vai ser meu para sempre".

Eu contive o deleite que me fazia vibrar para jogar duro. "Eu nunca concordei com isso".

Ele se teletransportou, piscando suas covinhas. "Você vai, querida".

Eu olhei diretamente para ele. "Não se a história for melhor do que o sexo".

Dando um passo atrás, ele chicoteou sua faca novamente. Um corte depois, meu sutiã caiu aberto na frente. Dois cortes depois disso, minhas calcinhas brancas de renda estavam no chão. Ele fechou a faca e a empurrou de volta para o bolso dele.

Eu gaseei enquanto ele me puxava até ele, fechando sua boca sobre um único pico no momento em que eu estava ao seu alcance. Meus joelhos quase derreteram enquanto ele passava a língua pela minha carne carente. Eu me curvei dentro dele, pressionando sem medo todas as minhas imperfeições contra ele. Eu era o que eu sentia como se estivesse a cem tamanhos de vestido de um dois, mas a maneira como o Urso me segurava, seus músculos flexionando seguramente contra minha maciez, me fez sentir como um pela primeira vez na minha vida.

Soltando meu peito com um plop, ele mergulhou para o outro, enviando prazeres frescos através do meu núcleo. O desejo líquido revestiu meu centro; precisava ser enrolado com força na parte inferior do estômago, diminuindo minha paciência. Eu cavei minhas unhas em sua carne levemente bronzeada.

Um grito suave caiu dos meus lábios enquanto seus dedos pressionavam entre meus lábios inferiores, aparentemente do nada. Será que eu estava tão longe que eu não notei seus movimentos?

Ele trabalhou as duas pontas, levando meu desejo para a zona desesperada. Já havia passado tanto tempo, muito tempo. De alguma forma ele sabia disso.

Respirar foi uma lembrança de última hora enquanto eu me aprofundava nele, silenciosamente suplicando por mais. Eu quase cantei um 'aleluia' quando ele me soltou para me despir. Em menos de um minuto ele estava nu com um preservativo enrolado sobre seu impressionante membro.

Torta de cereja doce, o homem era todo músculo bonito. Ele tinha vales profundos e ranhuras por todo o corpo que eu mal podia esperar para provar e provocar.

Nossos olhares se encontraram. Nós dois ficamos de pé, ofegantes, nus e expostos, todos os fingimentos e barreiras se foram, para o que parecia uma eternidade. De repente, ele mergulhou por mim. Ele me apoiou até minha bunda bater na mesa do console contra a parede de entrada.

Com um movimento, ele enrolou suas mãos ao redor das minhas coxas e me colocou na borda do móvel. "Segura-te, querida".

Envolvendo meus braços ao redor de seu pescoço, eu empurrei meus dedos através dos curtos cachos de cabelo perto de sua nuca. Meus mamilos se sentiam duros como diamantes enquanto escovavam contra o peito dele. Eu arrastei minhas pernas ao redor dele, pronto para tudo o que ele tinha. "Prove que estou errado, soldado".

Em um só fôlego, ele dirigiu até mim e reclamou dos meus lábios, efetivamente causando e pegando meu choro. Foi um tiro de prazer através de mim, com penas e parecendo alcançar cada centímetro de mim.

Ele não jogava jogos. O urso estabeleceu um ritmo veloz e furioso, acossando meu corpo em uma rápida submissão.

Em pouco tempo, meus calcanhares e unhas estavam cavando nele e meus quadris estavam se esticando para encontrar cada chicote de sua carne para o meu. Uma mão foi pressionada firmemente nas minhas costas, a outra segurou meu quadril, apoiando-me enquanto ele nos carregava aos dois até o auge do prazer.

Tornou-se demais; fui forçado a abandonar seus lábios para poder respirar. Eu senti sua boca molhada tocar o lado do meu pescoço. Ele cortou e beijou um caminho acima da minha clavícula, nunca perdendo seu ritmo.

"Oh, Urso. Oh, Deus". Eu mordi meu lábio inferior com força. Eu era seu prisioneiro. Eu tinha muito pouco controle; eu tinha cedido. Eu dei o meu prazer a ele.

A pressão construída no meu ventre; meus seios incharam e meus mamilos se beliscaram cada vez mais enquanto ele continuava seu belo assalto tortuoso. Tudo aconteceu tão lentamente, e ainda assim tão rápido. Num segundo meu corpo estava suplicando, e no outro estava cantando.

O prazer estourou através de mim enquanto eu o envolvia. Onda após onda de sensações de êxtase me penetraram, embaçando minha visão, entorpecendo minha audição enquanto eu aguçava meus gritos. O calor estrangulou meu núcleo enquanto seu pênis tocava cada delicada dobra interior; ele dobrou seus esforços, até que de repente parou, enterrando seu rosto no meu pescoço enquanto gritava meu nome.

"Oh, foda-se, Shae. Foda-se, querida". A voz dele foi abafada, abafada contra a minha carne, e ainda assim o tom cru dela mandou um prazer fresco rolando através de mim. Ele empurrou preguiçosamente mais algumas vezes antes de parar completamente.

Por vários minutos, ele me manteve no lugar, imóvel, e eu fiquei contente de permanecer como estava em seus braços, o bem traseiro pressionado na ponta afiada da mesa de madeira. Eu fiquei surpreso que o design feminino da peça de mobiliário permitisse que ela me segurasse.

Levou todo o tempo que ele me deu para que meu pulso parasse de bater nos meus ouvidos, para que meu coração se acalmasse com meu pulso, e para que minhas curvas parassem de bater em ritmo com seus músculos enquanto gaseávamos para respirar ar.

Sempre tão suavemente, ele pressionou um beijo no meu pescoço, subindo até os meus lábios. Sem toda a urgência, o que restava era a sensualidade. Estrelas, faíscas e sensualidade.

Eu sorri contra ele. "Eu pedi uma caixa de preservativos online para evitar qualquer boato".

"Que se fodam os rumores. Eu quero que todos saibam que eu apostei meu crédito em você".

Eu ri. "A maioria dos casais faz isso com anéis, não com preservativos".

Ele estudou meu rosto. Eu estava certo de que eu estava desarrumado e corado, mas ele não pareceu se importar. Ele olhou para mim com a mesma adoração que sempre fez, com o mesmo desejo que sempre teve. "Eu vou fazer isso com ambos".

Eu me enrolei nos lábios, fingindo contemplar a sua declaração. "Talvez eu precise de um pouco mais de prova antes de estar confortável o suficiente para imprimi-la".

Ele me tirou de cima da mesa. "Você e sua maldita prova".

"A prova é o que protege todo jornalista".

Ele procurou em meus olhos. "Um destes dias, você vai parar de deixar a prova fazer o que um bom homem faz". Ele me apertou o rabo.

Sentindo-me atrevido, eu alcancei e copiei seu movimento, colocando um beijo em seu peito enquanto o fazia.

Seus olhos brilhavam como estrelas no céu da meia-noite. "Vamos para a cama, querida".

Eu me inclinei, mordiscando meu lábio inferior enquanto olhava para ele. "E o jantar?"

Ele sorriu, mostrando uma pitada de suas covinhas. "Tenho quase certeza que Weasel pode convencer LuAnna a fazer uma entrega do restaurante".

"Prometa-me um croissant de chocolate e um cappuccino grande estará me esperando pela manhã, e eu direi que podemos pular o jantar e ir direto para a sobremesa".

"Feito". Ele me beijou mais uma vez antes de me soltar. Ele gentilmente removeu meus braços ao seu redor e me girou em direção ao corredor. "Eu quero ver aqueles quadris sexy e ainda mais sexy balançarem enquanto você caminha para o quarto".

Olhando para ele por cima do meu ombro, eu lhe dei um sorriso diabólico. "Feito".

Durante a maior parte da minha vida eu tinha considerado Atlanta minha casa, mas o Urso me ensinou, não era sobre onde você vivia, era sobre com quem você estava. Daquela noite em diante, eu estava sempre em casa. O lar é onde o coração está, e o coração desta jornalista estava com o homem com quem ela passou a eternidade: Urso Jacobs.

Pontuação no dia 4 de julho

Um

A tinta ainda nem tinha secado no contrato de cinco anos de Mikael Maatta com a equipe profissional de hóquei Buffalo Storm quando os problemas apareceram no horizonte. Ele ainda estava sentado na mesa de conferência, onde ele tinha tirado sua foto com o gerente geral Keith, quando ele olhou para ver uma mulher mais velha ocupando um lugar à sua direita.

"Oi, eu sou Karen. Eu sou a assistente do GM. Não sou a assistente do GM... grande diferença"!

Mikael riu desconfortavelmente. Que tipo de resposta seria considerada apropriada para essa afirmação? Ele foi educadamente formal. "Prazer em conhecê-la, Karen".

"Eu serei aquele a quem você vai se encontrar se você precisar falar com Keith, e para a maioria dos outros assuntos fora do escritório".

"Certo..."

"Estamos emocionados por você estar aqui, mas eu tenho um problema". A mulher parecia tão triste. Por quê?

"Problema?"

"Sim. Acabei de falar ao telefone com outro dos nossos atacantes, Nikolai". Mikael acenou com a cabeça, familiarizado com o homem. Na verdade, ele provavelmente estaria jogando na mesma linha que ele na próxima temporada. "De qualquer forma, Nikolai torceu o tornozelo durante um de nossos últimos jogos, e o médico da equipe não o autorizará a jogar em nosso torneio beneficente de hóquei em poucos dias".

"Isso é uma pena". Mas o que isso tem a ver comigo?

Como se uma bolha de pensamento tivesse aparecido acima de sua cabeça, Karen disse: "Eu não sei o quanto você está familiarizado com a Tempestade, mas, como a maioria das equipes profissionais de hóquei, nós fazemos muito trabalho de caridade. Recentemente um de nossos jogadores, Rob D'Amico, começou a namorar um professor que trabalha em escolas do interior da cidade de Buffalo. Ele fez um trabalho tremendo para arrecadar dinheiro para o sistema escolar, incluindo este torneio inaugural - o primeiro - de hóquei que acontece durante o quarto fim de semana de julho".

Mikael acenou novamente, sentindo-se como um idiota. Sua confusão deve ter se mostrado em seu rosto, porque Karen riu e disse: "Estou transformando isto em um drama de quatro atos e não precisa ser". O fato é que todos os times do torneio deveriam ter um representante da Tempestade jogando nele. Agora, com Nikolai contundido, falta-nos um e estávamos nos perguntando se você estaria disposto a intervir e tomar o lugar dele. Não há outros atacantes em Buffalo para o verão ou eu perguntaria a eles, já que eu sei que você é novo aqui e provavelmente só quer tempo para absorver tudo isso. Em outras palavras, eu estou desesperado. É um torneio de quatro dias, estilo Round Robin".

"Você quer dizer que você gostaria que eu fosse um jogador de um dos times?"

"Sim, exatamente".

"Oh". Ele franziu o sobrolho. Mikael não tinha nada contra brincar, especialmente se o dinheiro beneficiasse as crianças, mas ele não esperava estar no gelo durante esta visita a Buffalo. "Eu ainda nem tenho todo o meu equipamento aqui". Ainda está em Minnesota".

"Se você concordar em participar, eu posso cuidar disso".

"Sério?" Uau, isso seria muito rápido, mas essa mulher parecia ser capaz de fazer isso. "Hum, quando começa o torneio? Eu presumo que em breve, desde o dia 4 de julho, será em três dias".

Karen sorriu, provavelmente sabendo que o tinha. "Amanhã".

Mikael esfregou seu rosto. Eles realmente sabem como recebê-lo em Buffalo rapidamente por aqui. "Eu preciso falar com meu agente antes de poder dizer sim ou não". Está tudo bem?"

"É claro. Apenas me avise assim que puder". Ela empurrou um cartão na direção dele. "Este é o cartão de Keith, mas tem o meu trabalho e números de celular na parte de trás. Por favor, me ligue se você pode jogar ou não. Dessa forma eu saberei se tenho que encontrar outra pessoa. Eu não conheço nenhum outro atacante na área em que eu ainda não tenha entrado, mas espero não ter que me preocupar com isso".

"Eu o informarei assim que eu falar com ele".

Karen levantou-se e saiu da sala. Mikael olhou fixamente para o cartão, debatendo. Ele não havia se recuperado completamente de uma série de três rodadas de playoff com o Minnesota, o time pelo qual ele havia jogado na última temporada, mas ele havia planejado voltar a patinar sozinho em breve de qualquer forma, e não parecia certo recusar um torneio de caridade. Ele provavelmente poderia patinar para trás o tempo todo e ainda ser o melhor jogador no gelo. Mikael não tinha um ego enorme, mas em sua idade e nível de habilidade, jogando com pessoas que provavelmente faziam parte de times locais, muito provavelmente ele seria o cara de elite.

Tirando seu telefone do bolso dos calções, ele ligou para seu agente, Anton.

"Olá, eu queria ligar para você para ver como foi a assinatura".

Mikael deu de ombros e depois sacudiu a cabeça para si mesmo quando percebeu que Anton não podia vê-lo. "Muito bem. Eu entrei, olhei através do contrato e coloquei meu nome na última página. Bastante fácil".

"Ah, ótimo. Eles lhe deram algum detalhe sobre os treinos fora do escritório ou qualquer coisa?"

"Não, na próxima semana vou me encontrar com o treinador de força e condicionamento deles. Eu ia voltar para Minnesota em breve, mas acho que vou ficar aqui por algumas semanas para procurar uma casa e ter uma idéia de onde as coisas estão". Eu conheço alguns dos jogadores, nenhum pessoalmente ainda, é claro, então eu vou perguntar a eles onde eu deveria morar. O capitão, Ben, me enviou uma mensagem de texto no outro dia e ofereceu sua ajuda com qualquer coisa que eu precisasse".

"A Tempestade está colocando você em contato com um agente imobiliário também, certo?"

"Sim. Também a verei no início da próxima semana".

"Certo, tudo parece que está se moldando".

"Bem, exceto por uma coisa".

A voz de Anton foi afiada. "O que está errado?"

"Nada. Mas a Tempestade está organizando um torneio beneficente neste fim de semana e me convidou para jogar. Não é um torneio profissional. Parece que os times da liga de recreação dos arredores de Buffalo compõem a maioria dos participantes. Há um jogador da Storm em cada time, já que eles são os organizadores, e um dos caras não pode jogar. Eles me perguntaram se eu iria ajudá-los, e eu não sabia o que dizer".

"Hmm. Essa é difícil. Obviamente você quer construir boa vontade, tanto com o time quanto com a comunidade, mas você foi bastante espancado nas finais, que só terminaram há três semanas".

"Sim, estes eram meus pensamentos e eu disse a eles que precisava falar com você antes de poder dizer-lhes qualquer coisa". Mikael inclinou-se para trás na cadeira, olhando ao redor da sala de conferências vazia e sem descrição. "Eu provavelmente deveria tocar. Duvido que em um torneio como este haja muita batida ou qualquer coisa".

"Provavelmente não, mas você perguntou?"

"Não, eu não pensei em fazê-lo".

"Você provavelmente não tem escolha, por mais que eu não goste da idéia". Se você não jogasse, certamente não o tornaria popular com a administração, se a tempestade fosse a anfitriã do torneio e você especificamente recusasse".

"Isso foi o que eu pensei. E é para crianças". Quem sabe, talvez seja divertido. Eu não jogo este tipo de jogo há muito tempo".

"Apenas tenha cuidado consigo mesmo".

"Eu sempre faço".

Ele desligou do Anton e foi procurar Karen. Ela sentou-se atrás de uma mesa em forma de L que parecia muito grande para ela, bem do lado de fora do escritório de Keith.

"Oi, olá. Você tem alguma notícia para mim?"

"Eu vou jogar".

"Excelente. Onde em Minnesota está o seu equipamento?"

"Na minha casa".

Karen acenou com a cabeça e depois inclinou a cabeça. "Sim, agora que eu penso nisso, é claro que a equipe não teria mais isso".

"Não, eu fiz as malas no final do ano, assim como todos os jogadores fazem. Eu não pensei em trazê-lo comigo quando vim para cá, já que eu tinha planejado estar aqui apenas alguns dias e depois voltar para me encontrar com todos".

"Alguém lá, um colega de equipe ou um amigo, tem uma chave para o seu lugar?"

"Sim, um dos meus colegas de equipe e um universitário que mora ao lado e me ajuda com as coisas enquanto eu viajo".

"Você pode ligar para um deles e pedir que eles enviem seu equipamento para o celeiro durante a noite? Nós pagaremos todos os custos na chegada ou eu posso lhe dar nosso número de conta com o Serviço Nacional de Parcelas".

Mikael arranhou a cabeça, soprando um sopro. "Você seria capaz de ligar ou pelo menos estar aqui quando eu o fizer? Eu não quero fazer você trabalhar mais, mas eu não tenho certeza se posso fazer isso sozinho e ter certeza de que está certo. Às vezes meu inglês não é bom para dar direções como esta".

Karen sorriu e apontou para sua cadeira de convidado. "Claro, querida. Que tal, já que você tem os números deles, ligar para o seu celular e colocá-lo no alto-falante"?

"Está bem. Eu vou fazer isso."

Logo eles conseguiram que o equipamento chegasse às nove da manhã do dia seguinte. Às vezes surpreendia Mikael como as coisas podiam ser feitas aqui nos EUA, mas pelo menos, pelo que ele tinha visto, se você tivesse dinheiro suficiente, você poderia conseguir o que quisesse.

A Tempestade havia pago por um quarto de hotel em uma enorme e nova instalação anexa à sua arena. Alguns dos jogos seriam disputados nas pistas das instalações, ele notou, enquanto lia alguns cartazes promocionais para o torneio no caminho de volta ao hotel. Mikael espiou alguns restaurantes também, o que o deixou feliz enquanto seu estômago roncava. Depois de mudar rapidamente, ele almoçou tarde e depois voltou para seu quarto para descansar e ler. Se ele estivesse jogando vários jogos nos próximos quatro dias, ele precisava ir com calma agora. Explorar Buffalo poderia esperar alguns dias.

*****

Na manhã seguinte, Mikael chegou ao celeiro um pouco depois das 9:00 da manhã. O torneio tinha acabado de começar, mas seu time não jogaria seu primeiro jogo até o jogo da noite às 5:00 da tarde. Seu equipamento chegou na hora certa, e ele levou um momento para olhar através da enorme bolsa e ter certeza de que tinha tudo o que precisava. Karen disse a ele que seu time tinha se reunido em uma das outras pistas para um rápido skate e ele se apressou para ir até lá e se vestir.

A prática já havia começado quando ele pisou no gelo. Imediatamente um homem patinou até ele, tirando sua luva e oferecendo sua mão. Mikael sacudiu-a.

"Estamos realmente animados em tê-lo em nossa equipe, Sr. Maatta". Obrigado por ter vindo assim. Deve ter sido um choque assinar aqui e depois acabar jogando em um torneio vinte e quatro horas depois, hein? Eu sou Paul, o capitão deste time, pelo menos para o torneio. Normalmente nós realmente não nos incomodamos. E não há treinador de verdade, já que estamos apenas jogando em uma liga de rec recomeço".

"Prazer em conhecê-lo. Mikael, por favor. Ou Matty". Ele deu ao homem um sorriso de ovelha. "Os jogadores de hóquei não são muito criativos".

"Qual você prefere?"

Ele está me tratando como realeza. Isto é estranho. Mikael obviamente tinha tido contato com fãs enquanto jogava pelo Minnesota, mas nunca tinha feito nada parecido. Ele tinha a tendência de ser um cara fácil de sair do gelo e não gostava de muita atenção. Isso o deixava nervoso e ele começava a cortar os patins para frente e para trás como ele fazia antes dos jogos.

"O Matty está bem".

"Está bem." O homem gritou: "Todo mundo, este é Matty, também conhecido como Mikael Maatta". Como você provavelmente já sabe, Matty acabou de assinar um contrato de agente livre com a Tempestade. Nós estamos realmente felizes por tê-lo aqui". Então ele voltou para Matty, que podia sentir seu rosto flamejante. Pelo menos o seu escudo bloqueou um pouco a visão. "Nós estamos apenas dando uma volta de skate, tomando alguns tiros, coisas assim. Queremos economizar nossa energia para o jogo desta noite". Nós não estamos todos na forma que você está". O homem era provavelmente quatro polegadas mais baixo que ele e teve que olhar para cima para não falar com o queixo de Mikael.

Mikael riu. "Bem, eu faço isso para viver". É melhor eu estar bem condicionado".

O homem acenou com a cabeça, sorriu e patinou. Mikael deu um par de passos preguiçosos e depois deu um passe de um dos caras. Ele passou para trás e continuou patinando, contornando a parte de trás da rede. Outro disco veio em seu caminho e ele atirou este da ranhura. Ele não colocou muito nele, e o goleiro fez uma defesa fácil. Continuando a patinar em círculos lentos, ele passou muito e chutou um pouco. Ele sempre gostava de observar os goleiros nos exercícios de Preparação. Ele disse muito sobre o que esperar durante um jogo, quanto ao apoio defensivo que eles precisariam em qualquer noite, e este realmente o impressionou, fazendo algumas grandes defesas enquanto o skate continuava.

Eu pensei que eu era o único profissional da equipe. Eles tinham dito um por equipe. Mas este cara é bom. Realmente bom.

Paul chamou todos juntos. Mikael ajoelhou-se um pouco atrás, não querendo intimidar ninguém ou fazer as pessoas pensarem que ele queria assumir o controle. Enquanto os caras tiravam seus capacetes, Mikael tentava checá-los sub-repticiamente. A maioria parecia ter entre 20 e 30 anos, com alguns adolescentes e um par de caras mais velhos. Interessante.

Seu olhar começou a se mover para além do goleiro quando seu cérebro congelou e sua cabeça se partiu para trás para dar uma melhor olhada. Uma mulher.

Oh meu Deus, isso é tão quente.

Sua virilha despertou com pressa e Mikael a quis de volta. As tortas em copos foram sugadas. Ela tinha cabelo louro como o dele, mas comprido, agora que ela o tinha solto de qualquer maneira que ela o tinha sob sua máscara, e olhos grandes e castanhos que estavam atualmente... oh merda... parecendo bem atrás dele.

Distraído além da razão, Mikael quase perdeu quando Paul disse: "Além de Matty, temos muita sorte em ter Terri Kirkland, a jogadora de gols inicial da equipe olímpica de hóquei feminino dos EUA. Você deve se lembrar delas derrotando as suecas, as russas e finalmente as canadenses, por um placar de cinco para um, não menos, no caminho para ganhar a medalha de ouro em fevereiro passado".

Os caras bateram seus bastões e Mikael percebeu que era por isso que ela parecia familiar a ele. Mikael tinha jogado pelo Team Finland nas Olimpíadas e tinha ido a alguns dos jogos femininos, incluindo um daqueles que Paul tinha mencionado, quando os EUA jogaram contra a Rússia. Terri tinha ficado de cabeça erguida naquela noite e uma de suas colegas de equipe comentou que não havia hóquei mais competitivo para as mulheres jogarem.

Paul continuou. "O apelido de Terri é Kirk, que provavelmente é muito mais fácil de gritar do que Terri, certo?" Ah, outro mistério resolvido, já que ele tinha ouvido algumas pessoas dizerem o apelido dela durante o skate.

Terri assentiu, encolhendo os ombros e sorrindo. "Eu realmente não me importo com o que você me chama, mas sim, Kirk é fácil de gritar no gelo".

Os outros jogadores pareciam temerosos com Terri, que se deslocou de pé em pé, encostando o queixo em cima do seu bastão de goleiro. Mikael não sabia dizer se eles eram afetados por sua beleza ou desempenho no gelo ou por alguma combinação de ambos, como ele. Paul parecia sentir como Terri se sentia desconfortável sob escrutínio e continuou. "De qualquer forma, o principal objetivo deste fim de semana é se divertir e arrecadar muito dinheiro para

Suprimentos para Escolas". Então vamos lá hoje à noite e fazer um bom show para os fãs"!

Depois que a multidão se dispersou, Mikael patinou até Paul. "Havia uma taxa de inscrição para este torneio?"

"Sim, cada equipe pagou mil dólares. Então os torcedores pagarão dez dólares por ingresso, eu acho". Por quê?".

"Eu vou pagar a taxa de entrada".

Paul balançou a cabeça: "Oh, não, você não tem que fazer isso. Sério, nós estamos mais do que entusiasmados em ter você patinando conosco. Entre você e Terri nós temos uma chance muito boa lá fora".

"Eu quero pagar". Vou trazer meu talão de cheques hoje à noite".

"Já foi pago".

"Então eu farei uma doação extra. Ou darei à sua equipe algum dinheiro para alugar tempo de gelo ou para algo mais que você precise".

"Isso é com você, Matty, e seria muito generoso, mas inteiramente com você". Ele procurou por um soco com Mikael e perguntou: "Vejo você esta noite?".

"Eu estarei aqui".

Enquanto ele e Paul tinham falado, ele tinha notado que Terri tinha ido em uma direção diferente da dos caras. Ela provavelmente tinha seu próprio camarim. Eu não iria querer compartilhar com um monte de homens se eu fosse a única mulher da equipe. Talvez o quarto dela não cheire tão mal quanto o nosso vestiário. Se sim, garota sortuda.

*****

Ele se divertiu muito no jogo naquela noite, embora Mikael pudesse ter usado um pouco menos do material "Oh meu Deus Mikael Maatta está aqui!!!!". Ele era apenas um cara que era realmente bom em um jogo e não era uma pessoa importante como médicos ou professores. O goleiro de reserva do Storm, Jordan, jogou pelo outro time, e eles trocaram breves saudações em calor, mas uma vez que o jogo começou, Jordan se transformou em um hilariante falador de lixo. Os times eram muito parecidos no goleiro, o que Mikael achou muito legal. Seu goleiro deu uma surra.

Um defensor do outro time tirou Mikael de seus pés e ele pousou de traseiro à direita da Jordânia, que gritou: "Não pode ficar de pé, eh, Matty? Não consegue ficar de pé?"

Matty se levantou, patinou e disse: "Eu vou ficar de pé. Mas quando eu mostrar o meu pulso, você não vai".

Jordan riu. "Nós vamos ver, amigo, nós vamos ver".

Sua equipe acabou ganhando por 3-1 e depois se reuniram para um jantar tardio antes de dispersar para dormir um pouco antes do jogo das nove da manhã do dia seguinte. Terri foi com eles, e Mikael manobrou furtivamente as coisas e eles estavam sentados um ao lado do outro na longa mesa no Pearl Street Grill, um lugar enorme, barulhento e cheio, o que tornou difícil falar, mas Mikael sentiu que Terri novamente estava desconfortável sendo a única mulher no time, então ele tentou envolvê-la na conversa.

"Você é daqui?"

Terri acenou com a cabeça. "Nascido e criado em Buffalo. Eu não saí até que fui para a Universidade de Minnesota".

"Eu joguei no Minnesota antes de vir para cá. Eu me lembro das notícias mencionando o time. Eles eram muito bons. Há quanto tempo você estava lá"?

"Eu me formei há dois anos".

"Então você era o candidato à meta inicial?"

"Sim. Durante os últimos três anos eu freqüentei a universidade". O rosto de Terri colorido e Mikael mudou novamente, tentando em vão liberar a tensão em sua virilha. Por que vê-la corar me dá vontade de beijá-la?

"É engraçado que estivemos na mesma cidade ao mesmo tempo".

"Bem, os jogadores do quebra-gelo não correram exatamente conosco".

As sobrancelhas dele caíram. "O que você quer dizer com "correr"?

"Oh! Desculpe. Apenas que você não tenha andado com uma equipe universitária feminina".

"Eu teria se soubesse de você". Mikael poderia ter se espancado, mas então Terri corou novamente e esqueceu tudo sobre seu comentário idiota.

"De qualquer forma", disse ela, mexendo com seus talheres de prata, "parabéns pelo contrato. Isso é ótimo para você".

"Sim, quando Buffalo ligou eu aceitei a oferta deles rapidamente. Eu acho que eles são um time que vai ganhar a Copa em breve".

"Eu espero que sim. A cidade poderia realmente precisar de um time campeão".

"Posso lhe fazer uma pergunta?"

Ela olhou para ele de relance. "Hum, claro".

"Você é um excelente marcador de gols. Existe um lugar para você jogar?"

"Profissionalmente? Não, na verdade não", Terri olhou para longe, torcendo as mãos no guardanapo como se estivesse tentando limpar algo deles. Ainda não encontrando o olhar dele, ela continuou. "A partida para o time feminino canadense assinou como reforço para um time da liga menor, mas não há equivalente feminino de uma liga profissional como a que você joga". Eu fiz algumas perguntas para outros times da liga menor, mas não obtive nenhuma resposta. Eu não tenho certeza do que quero fazer agora".

"Isso é uma droga. Você é realmente talentoso".

Agora ela olhou para ele, um leve sorriso em seu rosto. "Obrigado. Mas posso apenas dizer que estou muito feliz por você estar na minha equipe e não tenho que encarar seus tiros"?

Mikael farejou. "Eu não ganharia nenhum concurso de tiro mais difícil".

Terri riu. "Talvez não, mas você é incrivelmente rápido". Ele não conseguiu evitar o sorriso que se desprendeu e as bochechas de Terri ficaram rosadas. "Não é isso que eu... Sim, estou calando a boca agora".

Alguns servidores se aproximaram com a comida, e ambos se concentraram em comer por um pouco de tempo. Depois dos jogos Mikael sempre sentiu que podia comer uma vaca inteira, e às vezes ele desejava poder pedir algo como o cheeseburger duplo de bacon que o homem do outro lado da mesa tinha. Mas aquele cara não precisava observar seu peso como um jogador de hockey profissional como Mikael fazia. Seu sustento dependia de ser o melhor, e ser sobrecarregado por calorias extras e uma tonelada de gordura não ajudaria com isso.

Eles terminaram o jantar rapidamente e Mikael voltou para o hotel enquanto a maioria de seus colegas de equipe dirigiam para suas várias casas. No dia seguinte,

Mikael teve dificuldades para jogar tão cedo. Ele não estava acostumado a este horário diferente. Claro, os times às vezes tinham jogos cedo que começavam pouco depois do meio-dia, mas mesmo para aqueles que ele geralmente acordava quatro ou cinco horas antes da hora do jogo para entrar em suas rotinas. Se ele tivesse feito isso hoje, porém, ele teria saído da cama às quatro ou cinco da manhã. Ao invés disso, ele se levantou às seis e meia, tomou um café da manhã leve, e correu para a arena para bombear seu sangue. Não foi exatamente uma corrida longa, considerando que a arena e o complexo com o hotel estavam ligados, então ele fez algumas voltas pelo corredor ainda vazio antes de ir para o vestiário.

Eles foram para o gelo para o aquecimento e Mikael fez duas coisas primeiro; procurou Terri para dar-lhe um toque nas almofadas, e levou o que ele esperava que fosse um olhar não óbvio para seus companheiros de equipe, dado o que ele tinha aprendido sobre eles durante o jogo na noite anterior. Ele já podia ver a diferença entre os verdadeiros "campeões de garagem" e aqueles que provavelmente queriam jogar profissionalmente, mas não conseguiam por uma razão ou outra. Sempre ajudou a saber quem eram os elos mais fracos do time para que você pudesse encobri-los. Este pode ser apenas um torneio de caridade, mas atletas profissionais como Mikael eram caras incrivelmente competitivos. Eles tinham que ser. Mikael não gostava apenas de ganhar; ele detestava perder. Aquela saída do terceiro round dos playoffs de algumas semanas atrás ainda queimou um buraco em seu intestino.

Antes do início do jogo, eles falavam sobre combinações de linhas. Os caras no comando perguntaram se ele estaria disposto a ser trocado duas vezes e ele concordou, desde que ele pudesse recusar um segundo turno se ele se sentisse gasto. O time parecia extasiado pela sua disposição de ajudar e todos eles se acomodaram ao jogo.

Mikael estava certo quando assumiu que não havia nenhum controle neste torneio, o que se adequava ao corpo ainda um pouco dorido de Mikael, mas aparentemente isso não significava nenhum empurrão e empurrões. Um cara parecia determinado a conseguir o melhor de um jogador de hóquei profissional para provar sua dureza e continuou a acotovelá-lo. Mikael tentou ignorá-lo, mas na quarta vez que o cara fez isso, este se conectando com seu maxilar, ele se cansou e lançou o jogador no banco do seu próprio time com um cheque de quadril limpo, sabendo que isso faria seu time ficar com falta de pessoal, mas não querendo deixar que algum asno com um complexo de inferioridade fizesse algo que o ferisse. Os cotovelos na cabeça não eram motivo de riso.

Observar o cara se agitando enquanto seus companheiros de equipe tentavam empurrá-lo de volta para o gelo fez Mikael sorrir. Ele tentou escondê-lo, no entanto. Não havia necessidade de começar uma guerra. Assim que o árbitro soprou o apito, Mikael patinou em direção à caixa de penalidades. Ele realmente não gostava de jogar seu peso se não fosse necessário, especialmente em um ambiente como este, mas com quem esse cara pensava que estava lidando? Ficar duro com um jogador de hóquei profissional não parecia muito inteligente para Mikael, que tinha sido atingido por homens muito maiores e mais fortes do que este idiota e patinou sem ferimentos.

Um de seus companheiros de equipe preso em sua cabeça na porta da caixa de penalidades antes de fechar e disse: "Não se preocupe com esse cara. Você faz o que precisa fazer e nós o protegemos". Ele é um hack".

Ele se sentiu melhor sabendo que pelo menos parte da equipe não parecia chateado por ter perdido a calma. Enquanto o outro time se preparava para o jogo de poder, Mikael alternava entre ver Terri fazer saltos acrobáticos... Por que isso é tão sexy? ---a brilhar para o cara que o tinha acotovelado. Depois que ele saiu da caixa, ele entrou na jogada desde que seu time estava com pressa.

No entanto, nenhum gol saiu da jogada, e um cara de fora estava prestes a acontecer na zona do time adversário quando o homem que o tinha acotovelado disse: "Quer ir?

Mikael olhou para ele como se ele tivesse três cabeças. "Eu não vou lutar com você".

"Ah, então você é apenas um garoto bonito aqui fora, na ponta dos pés através das tulipas e esperando por um passe para que você possa mostrar ao resto de nós como você é fantástico"?

Mikael não respondeu, mas, como a brincadeira começou novamente, o homem o hackeou na parte de trás das canelas. Ele caiu do impacto e seus companheiros de equipe saltaram para cima do homem. Quando os árbitros ordenaram tudo, o time de Mikael tinha dois na caixa, o homem tinha deixado o jogo com o que parecia ser um nariz quebrado, e um outro jogador adversário foi chamado para o desbaste. Os times acabaram empatados.

Sua equipe venceu aquele jogo por 5-2. Mikael teve três assistências, mas nenhum gol. Ele poderia ter tido um truque de chapéu no primeiro período se ele quisesse; ao invés disso, ele escolheu passar o disco. Assim que o jogo terminou, todos tomaram banho e mudaram. Enquanto Mikael saía pela porta da arena, o mesmo cara que tinha causado problemas durante o jogo se encostou contra um carro, sorrindo. Mikael ficou surpreso que ele pudesse fazer isso, dado os olhos negros gêmeos e a quantidade de bandagens brancas ao redor de seu nariz, mas ele conseguiu. "Não consegue fazer seus próprios gols? Tem que confiar nos seus companheiros de equipe para ganhar o jogo por você"?

Mikael parou, voltando-se lentamente para o homem. Ele não tinha planos de lutar em nenhum lugar, muito menos em um estacionamento fora de sua nova arena de casa, mas o cara precisava ser avisado. Do canto do olho, ele podia ver que Terri também tinha parado, junto com alguns caras da equipe do homem. Um deles chamou o homem: "Você tem um desejo de morte ou algo assim? Cara, ele é um jogador profissional de hóquei que tem trinta ou quarenta quilos de puro músculo em você, fácil. Pode ser uma boa idéia se afastar lentamente antes que você o aborreça e ele acabe com você".

O homem parecia ignorar o aviso, mantendo sua atenção em Mikael, ainda zombando. "A Tempestade pagou muito por você". Você é macio, como uma pequena flor". A voz dele pingou de sarcasmo, e Mikael deu um passo mais perto. Ele não dava um soco, mas não tinha problemas em assustar um pouco o cara. O homem precisava de alguém que o chamasse para fora em seu comportamento.

Ele ficou mais alto do que o homem por alguns centímetros, e olhou nos seus olhos, o que representava um desafio claro. "Não parecia assim quando eu o coloquei em seu próprio banco". Ou foi seis filas para cima a partir disso? Eu não pude vê-lo depois que o verifiquei, então eu não tenho certeza para onde você foi". O homem ficou vermelho. Mikael tinha feito seu ponto de vista. "A tempestade parece diferente do que você, e eles são os que importam". Agora que tal você parar de ser um idiota em um torneio de hockey que é para o benefício das crianças? Não é um bom exemplo que você está preparando para elas jogando sujo".

Um dos colegas de equipe do homem o arrastou, e Mikael esperava que eles não tivessem que jogar aquele time novamente. Ele não podia garantir que seria capaz de deixar o traseiro em paz.

Terri se aproximou dele. "Você lidou lindamente com isso. Você verá, no entanto, que a maioria dos fãs de Buffalo são muito solidários com a tempestade, nos bons e maus momentos, e, esmagadoramente, eles estão realmente animados por você estar aqui. Não deixe ele colorir sua percepção dos fãs".

Ele sorriu. "Eu não sorrirei". Mikael chegou meio passo mais perto de Terri, mas a intimidação foi a última coisa em sua mente. "Eu não sou um grande fã do serviço de quarto e eu odeio comer sozinho. Você gostaria de almoçar?"

Ela deu descarga. "Você está me perguntando sobre um encontro?"

Encolhido, ele disse: "Se você quiser que seja um encontro, será. Caso contrário, apenas um amigo ajudando outro, uma vez que eu não estou familiarizado com a área".

"Hmm. Sim, claro, por que não?"

"Já que você sabe para onde está indo, você se importa de dirigir? Bem, isso e eu não tenho um carro aqui".

Terri riu. Movendo-se em direção ao estacionamento do outro lado da rua, ela disse: "Sem problemas. Embora eu duvide que você fique impressionado com meu carro, considerando o que você provavelmente dirige".

"Eu não desperdiço meu dinheiro em carros caros". Eu mando alguns de volta para casa para minha família e invisto a maior parte do resto".

Ela acenou com a cabeça, quando eles começaram a caminhar até o carro dela. "Isso é ótimo. Vai lhe servir bem quando você terminar de brincar".

"Meus pais não são ricos. Eles não são pobres, mas definitivamente não são ricos, e gastaram muito para que eu pudesse continuar jogando. Eles nos ensinaram a economizar nosso dinheiro quando podíamos".

"Sempre uma boa lição". Terri indicou um carro. "Este sou eu". Como eu disse, nada de extravagante".

Mikael deu uma olhada. "É um bom carro. Por que você o abaixa?"

Terri destrancou as portas e então começou a subir para dentro. "É um pouco pequeno. E não é exatamente novo".

"Como eu disse, meus pais não são ricos, mesmo com o dinheiro que lhes envio, já que tenho irmãos e irmãs com filhos e uma avó que não está com boa saúde. Este é um belo carro. Eu realmente não dirijo nada extravagante. Eu me sentiria culpado se eu o fizesse. A única coisa de que me certifiquei foi que eu tinha tração nas quatro rodas para quando voltarmos às 2:00 da manhã, estou exausto e tem nevado".

Quando eles entraram na estrada, Terri perguntou: "Algo em particular que você goste ou não goste?

Ele considerou a questão. "Picante provavelmente não é bom se ainda temos jogos". Provavelmente bife ou frutos do mar, já que amanhã vou comer frango e macarrão, desde que eles não nos programem para jogarmos tão cedo novamente".

"Amanhã provavelmente será um jogo à uma hora". Eles tentam misturar tudo para que todos os times tenham que lidar com os jogos anteriores. Você cozinha para si mesmo"?

"Sim, geralmente. Antes de minha mãe me permitir vir para os EUA, ela me ensinou a cozinhar. Ela tinha ouvido todas essas histórias sobre a maneira como os americanos comem".

Ela riu, o rosto dela se iluminando em um sorriso que quase lhe tirou o fôlego. Ele estava agradecido pelo fato de Terri estar dirigindo e não se concentrando totalmente nele, já que aquele sorriso também havia afetado outras partes do Mikael. Por que eu tenho tanta dificuldade para me controlar ao redor dela?

"Eu tenho que perguntar. Que tipo de histórias?"

"Oh, sobre como você come muito fast food, bebe muito. É interessante viver nos EUA depois de crescer em outro lugar e ver que, em muitos aspectos, é exatamente como de onde eu venho. Muitos dos mesmos problemas, algumas das mesmas coisas boas".

Terri fez uma curva e então disse: "A propósito, estou indo em direção a este pequeno lugar que faz um ótimo guisado de frutos do mar. Eles têm muitos outros frutos do mar no cardápio também. Está bem assim?"

"Isso soa muito bem. Eu comi muitos frutos do mar crescendo, já que nós morávamos na costa da Finlândia".

"Quais são os seus tipos favoritos?"

Mikael pensou sobre isso por um momento. "O arenque é provavelmente o peixe mais conhecido da Finlândia".

"Eu não perguntei sobre os peixes mais comuns". Ela o provocou, com um olhar do canto do olho. "Eu perguntei qual você mais gosta".

"Tudo bem, eu vou te dizer", ele respondeu, no mesmo tom de voz provocador. "Eu gosto de salmão". E isso é bom porque muitos restaurantes nos EUA têm salmão. Eles o fazem diferente do que nós fazemos na Finlândia, mas eu gosto mais de alguns dos sabores daqui".

"Aqui estamos nós". Terri encostou num estacionamento. Quando eles saíram e caminharam em direção ao restaurante, ela disse: "Você fala inglês excelente, a propósito".

"Você vai rir quando eu lhe disser o porquê".

"Eu prometo não o fazer". Mas um sorriso rastejou em seu rosto de qualquer maneira.

Fazendo um suspiro fingido, ele disse: "O programa de TV Simpsons é muito popular na Finlândia. Nós temos muitos programas de TV e filmes americanos, alguns falados em finlandês e outros não. The Simpsons, por alguma razão, sempre foi em inglês. O realmente estranho é que muitos finlandeses pensam que a América é como o que eles vêem na televisão. Toda vez que eu vou para casa, as pessoas me perguntam se eu vi alguém famoso, ou se eu conhecia alguém que não fosse 'branco'. Eu tenho ouvido muito do resto do mundo ser assim sobre os EUA, mas agora que eu estou aqui há anos eu acho isso muito engraçado".

"Eu também já ouvi isso, especialmente quando viajei para competições internacionais, e sempre rio".

Ele segurou a porta aberta para ela. Eles se sentaram rapidamente e tiveram uma refeição agradável. Mikael pediu salmão e Terri o provocou com isso. Ele gostou de ouvi-la rir. Depois do almoço ela o deixou no hotel dele e disse que o veria amanhã. Mikael queria beijá-la mas não ousou, já que Terri não tinha dito se ela considerava o almoço deles um encontro ou não, então ele apenas sorriu e saiu do carro.

Ele tinha muito tempo desde que ambos moravam na área, ou Mikael o faria assim que comprasse uma casa. Sim, ela disse que talvez tivesse que morar em outro lugar se quisesse continuar jogando, mas pelo menos ele teria alguns meses antes de qualquer campo de treinamento começar. Quando ele se instalou para tirar uma soneca, ele sentiu seu rosto se esticando em um sorriso. O torneio pareceu muito mais divertido agora.

Dois

O palpite de Terri tinha sido preciso. Karen mandou-lhe uma mensagem com a notícia de que o jogo deles no dia seguinte, 4 de julho, seria um, e também que a Tempestade planejava colocar uma exibição de fogos de artifício depois que o último jogo terminasse naquela noite. Ela mencionou que havia um jardim no telhado do hotel e que poderia ser um bom lugar para vê-los. Ele agradeceu a ela pela informação, mesmo porque seu cérebro já estava calculando como levar Terri lá em cima com ele.

O torneio já estava reduzido a quatro equipes em cada parêntese e, com quatro jogos hoje, restariam dois em cada parêntese para o último dia do torneio. Qualquer equipe que saísse daqueles com vitórias jogaria um segundo jogo para decidir o campeonato, então Mikael tinha algum lugar entre um e três jogos restantes. Isso o surpreendeu o quanto ele gostava de jogar neste torneio. Seus companheiros de equipe e a maioria dos jogadores adversários eram bons homens, embora Jordan não tivesse calado o jogo inteiro. Mikael tinha um sentimento que não era incomum.

Ele havia perguntado sobre a organização se beneficiando do dinheiro, e também havia entregue o cheque que havia prometido, apesar dos protestos de Paul. Como Karen havia dito, um dos jogadores da Tempestade, Rob D'Amico, começou a namorar um professor de Buffalo da cidade e depois montou uma fundação para comprar material escolar para todas as escolas da área que precisavam deles. A Finlândia fez da educação uma alta prioridade e ele respeitou a parte de Rob em garantir que esses alunos tivessem o que precisavam. O governo pagou pelos suprimentos na Finlândia, mas, como Mikael tinha descoberto repetidas vezes, as coisas eram feitas de maneira diferente aqui nos EUA.

O próximo jogo foi por um triz. Faltavam cerca de oito minutos para o terceiro, e um dos jogadores estrela do Storm, Sebastian St. Amant, tinha acabado de marcar o gol de cabeça. Mikael olhou para o banco. Sebastian era um jogador dinâmico que definitivamente poderia ser um jogador de mudança de jogo e Mikael estava ansioso para possivelmente jogar com ele. Novamente neste jogo, Mikael se concentrou em passar o disco e tinha dado apenas um chute na rede. Mas o instinto competitivo saiu dentro dele e, quando ele pulou por cima das tábuas para o seu próximo turno, ele se estendeu ao redor do defensor adversário e foi atrás da rede. Lá ele pesquisou a localização de seus companheiros de equipe.

Ele não conseguia ver ninguém em posição de pontuação. O disco bateu para frente e para trás em seu bastão sem que ele prestasse muita atenção enquanto ele avaliava suas opções. Finalmente, quando um jogador tentou dar um dardo ao seu redor e roubar o disco, ele girou para o outro lado. O goleiro não teve nenhuma chance e Mikael foi para o lado curto em uma rede bem aberta. Seu time o cercou. Era um empate com pouco mais de seis minutos para jogar.

Ele e Sebastian compartilharam um olhar de admiração mútua enquanto Mikael patinava pelo banco adversário no caminho de volta para o seu. O próximo turno de Mikael veio apenas pouco mais de um minuto depois, já que seu time tinha começado a fazer turnos duplos. Seu centenário e ambos os defensores estavam batalhando contra Sebastian e, com um pequeno abanão de cabeça em como Sebastian lidou com três jogadores sozinho, Mikael foi ajudar. Terri gritou com seus companheiros de equipe, tanto em advertência quanto em incentivo, mas Mikael a afinou por enquanto.

Depois de desenterrar o disco da multidão ao seu redor, ele passou para a outra ponta e esticou o gelo de um lado para o outro. A ponta empurrou o disco de volta para ele e Mikael o enfiou uma vez na rede. Ele se sentiu um pouco mal em usar um chute completo contra um goleiro obviamente amador, mas ele queria que seu time ganhasse. Talvez a razão fosse egoísta, porque ele estava ansioso para jogar mais com Terri. Isso realmente não importava. Ele faria o que pudesse para ganhar o jogo.

Sua equipe conseguiu segurar a vitória. Depois que a linha de aperto de mão começou a se dispersar, Sebastian patinou por cima. "Estou muito ansioso para jogarmos juntos". Jon tem suas próprias idéias sobre isso, é claro, mas eu acho que com você, eu e Ben, nós poderíamos ser uma linha muito boa".

Ele parecia ser alguns anos mais novo que Mikael e tinha um sorriso infeccioso. Esse tipo de atitude poderia fazer uma grande diferença no vestiário. Mikael se lembrou de ter ouvido falar de algum escândalo com ele e um dos treinadores, mas não conhecia os detalhes. O que quer que tenha acontecido não pareceu afetar negativamente a sua peça. Mikael sabia que ele era um dos principais produtores de pontos para a Tempestade.

Mikael acenou com a cabeça, sorrindo. "Soa bem para mim. Eu também estou entusiasmado em jogar aqui".

"Vou pedir a Karen para me dar seu número de celular e eu ligarei para você em breve para ver se você quer fazer exercícios. Um monte de nós ficamos na área. É claro, eu vou me casar daqui a um mês ou mais, o que significa que eu tenho que estar por perto. Sarah, minha noiva, diz que é importante para mim tomar decisões". Ele rolou os olhos e Mikael riu.

"Boa sorte com isso, e sim, eu gostaria muito de trabalhar. Eu espero comprar uma casa na próxima semana ou mais. Então eu poderia facilmente estar nela através de um campo de treinamento. Até lá, eu não tenho certeza de onde vou morar. Karen disse que eles podem tomar providências".

"Karen é ótima. Seja gentil com ela e ela fará qualquer coisa por você". Eu trago flores para ela todo mês ou dois". Sebastian sorriu.

"Talvez ela goste de balões", disse Mikael. "Porque eu não posso trazer a ela o mesmo que você, certo?"

"Por que não? Rob me roubou a idéia para que não fosse a primeira vez".

"Aquela mulher deve receber muitas flores, então".

Sebastian riu. "E ela ganha cada um deles. É melhor eu ir para casa para decidir se queremos guardanapos de coquetel roxo ou guardanapos de coquetel brancos com escrita roxa. E não, eu não estou brincando".

"Divirta-se e ótimo jogo".

"Você também. Boa sorte para amanhã".

Mikael fez questão de patinar até Terri. "Você está interessado em um jantar antecipado? Agora estou viciado na sua empresa".

Terri bufou. "Claro que você está. Você só não quer ficar sozinho".

"Encontramo-nos daqui a meia hora ao pé das portas para ir lá fora?"

"Vejo você então. Eu vou usar o tempo para descobrir quais restaurantes servem o melhor salmão".

"Se eu continuar comendo, vou me transformar em um".

Ela fingiu avaliá-lo. "Guelras não seriam uma boa olhada em você".

"Guelras"?

Terri indicou o pescoço dela. "Aqueles pequenos peixes de abas respiram através".

"Oh. Sim, provavelmente não." Ele sentiu seu rosto ficar quente, mas um canto da boca da Terri chutou e ela não disse mais nada. Eles deixaram o gelo e seguiram seus caminhos separados, encontrando-se para pegar comida depois.

*****

Uma vez que eles tinham terminado outra excelente refeição, Mikael debateu como trazer à tona a idéia de Terri assistir aos fogos de artifício com ele. Eles tinham saído duas vezes sozinhos e ele esperava que ela considerasse essas datas, mesmo que nunca o tivessem dito em voz alta.

Ele limpou sua garganta subitamente seca e tomou um copo d'água. "Então... Karen, da tempestade? Ela me disse que haveria fogos de artifício hoje à noite no porto e que o hotel tem um jardim no terraço de onde eu talvez gostasse de vê-los". Respirando fundo, Mikael perguntou: "Você gostaria de ir lá em cima comigo? Eu sei que ainda faltam algumas horas para eles começarem, mas nós poderíamos ir dar uma caminhada ou algo assim agora".

Ela bateu com a cabeça. "Você percebe que mesmo que os fãs tentem deixar os jogadores da Tempestade sozinhos, se você estiver andando em qualquer lugar onde haja uma multidão, você provavelmente será abordado, certo?

Mikael encolheu com um ombro. "Por mim tudo bem, desde que isso não o incomode". Seria bom ver um pouco mais do centro da cidade. Karen mencionou que alguns dos caras também moram na orla, então talvez eu pudesse ver esses lugares"...

"Hum, claro. Nós poderíamos fazer isso".

"Você também está concordando com os fogos de artifício"?

Ele sorriu, sabendo que seu rosto estava em chamas. Mikael era um monte de coisas, mas um homem de mulher não era uma delas. Suas antigas colegas de equipe no Minnesota costumavam brincar com ele sobre como ele agia timidamente ao redor de mulheres bonitas. Ele sempre foi assim. Suas palavras gaguejadas, especialmente em uma língua que ele não falava como um nativo, muito provavelmente não impressionava muitas mulheres. E ele também nunca tinha sido um fã de sexo casual, embora ele tivesse feito isso um pouco quando ele ficou excitado. Apesar de nunca ter sido um problema encontrar alguém com quem fazer sexo quando ele queria, Mikael sabia que ser um atleta profissional ajudava imensamente nessa causa. Sempre se sentiu tão vazio para ele depois. Ele preferia ter uma namorada.

Tinha havido alguns em Minnesota, mas ninguém com quem ele quisesse propor casamento. E não que Mikael pensasse que precisava se apressar e começar uma família, mas seria ótimo ter alguém para quem voltar para casa depois de uma longa viagem; alguém para quem ligar à noite. Talvez isso fizesse dele uma seiva romântica, mas foi assim que ele se sentiu.

"Sim, eu vou dar uma volta e depois fico para os fogos de artifício".

A maneira como Terri fraseou essa frase o fez pensar se ela imaginava que ele esperaria que ela passasse a noite. Embora a idéia tivesse algum apelo, e ele nunca tinha se sentido muito casual sobre Terri, ele não queria se apressar em fazer sexo e fazê-la pensar que era tudo o que ele queria. Ele podia levar as coisas devagar, embora ele tivesse toda a intenção de pelo menos beijar Terri antes da noite terminar.

Ambos estavam usando sapatos confortáveis e passeavam em direção à orla da arena, que estava situada não muito longe. Em um lindo fim de semana de férias, a área estava repleta de pessoas e Mikael se viu agarrando a mão de Terri para conduzi-la por diferentes lugares e desejando que ele não tivesse que deixá-la ir depois de tê-la feito, mas ele se sentiu tímido demais para continuar agarrando-a. Depois de uma dessas ocasiões, Terri agarrou sua mão em uma das mãos dela e enfiou seus dedos juntos, sem olhar para ele. Se ela o tivesse feito, o sorriso pateta engessado no rosto dele provavelmente a teria feito rir.

"Certo, então isto é principalmente coisas novas... todos estes restaurantes, a praia. Por muito tempo houve toda essa área à beira-mar, mas nada havia sido desenvolvido. Nos últimos três anos, mais ou menos, eles têm construído tudo lentamente, acrescentando coisas pedaço por pedaço. Eu sei que a visão é torná-lo um destino durante todo o ano para o qual as pessoas virão mesmo no inverno". Ela apontou para um par de altas elevações e depois algumas casas em banda conectadas. "É provavelmente onde vivem os jogadores da tempestade que Karen mencionou. Eu acho que as altas elevações são condomínios, mas não tenho certeza". Eles estão bem fora da minha faixa de preço, então eu nunca prestei muita atenção".

"Eu não tenho certeza se eu gostaria de viver bem alto", admitiu Mikael. Não tenho medo das alturas, mas não gosto da idéia de estar tão longe do chão o tempo todo". Os quartos de hotel me assustam o suficiente sem acrescentar nada a isso".

"Eu sei que muitos jogadores vivem em um subúrbio chamado Clarence, também. Esses tendem a ser os caras com família. Os caras mais jovens e solteiros vivem no centro da cidade, pelo que ouvi dizer. Há outros belos apartamentos e lofts na área. Tenho certeza que se você for a um agente imobiliário eles podem lhe dar muito mais informações do que eu posso".

Enquanto ela falava, seus dedos mantinham uma pressão constante sobre os dele, segurando a mão dele contra a cintura dela. Mikael achou que ele gostou bastante da idéia de que ela conscientemente tomou a decisão de encorajá-lo a mantê-la por perto. Eles continuaram a andar e terminaram perto do final da área do porto, em um pedaço de terra que se precipitava na água. Bancos foram colocados em toda parte e Mikael puxou Terri para baixo para sentar em um deles.

"Nós temos muito tempo". Mikael sorriu, mas olhou para baixo enquanto dizia: "Eu estou me perguntando algo. Talvez você possa me dizer porque eu acho que é tão sexy quando você faz uma grande economia".

Uma gargalhada de Terri. "Uau. Eu não acho que ninguém nunca chamou meu estilo de jogo de sexy".

Agora ele se forçou a olhar para cima e conhecer o olhar dela. "E é. Você às vezes torna difícil, um, difícil se concentrar no jogo. Eu gosto de te observar". Ele empurrou uma mecha de cabelo perdida atrás da orelha dela e os olhos dela procuraram os dele. Indo à falência, ele disse: "Eu quero te beijar".

As sobrancelhas dela se abaixaram por um segundo, mas então ela disse: "Nós não nos conhecemos muito bem".

"É por isso que estamos aqui falando, certo?" Ele foi para um tom de provocação, na esperança de que Terri relaxasse, pois ela tinha tensionado um pouco quando ele disse que queria beijá-la.

Terri mordeu o lábio e depois acenou com a cabeça, olhando para a água enquanto Mikael brincava ociosamente com seu cabelo. "É verdade, você tem sido. Você está muito atento".

"Eu gosto de ouvir você. E de vê-lo tocar".

Ela se voltou para ele. "Um beijo". Nós estamos em público".

"Um beijo", repetiu ele. Por enquanto.

Inclinando-se para Terri, Mikael se segurou suavemente na parte de trás de sua cabeça. Mantendo seus olhos abertos e focado no rosto dela, ele escovou seus lábios sobre o dela. Um dos braços de Terri rastejou ao redor dele, parando quando ela tinha um aperto no quadril dele. Isso o encorajou a continuar, apesar do que ela tinha dito. Afinal de contas, tecnicamente falando, eles ainda estavam envolvidos em apenas um beijo.

Ele inclinou sua cabeça e aumentou a pressão. Terri respondeu imediatamente, movendo seus lábios quentes, porém macios, sobre os dele. Correndo o risco, Mikael abriu a boca. Ele só precisava provar. Um gostinho daquela boca doce. Quando a língua dele varreu os lábios dela, ela abriu e Mikael mergulhou para dentro. Mesmo que ele pudesse ter ficado feliz naquele banco beijando Terri enquanto as pessoas passeavam, ele não podia ter certeza de quem iria reconhecê-lo, ou ela, por esse motivo. Talvez muitas pessoas em Buffalo conhecessem Terri. Elas deveriam. Se não conheciam, estavam perdendo. Com relutância, ele se afastou, olhando para ela e tentando como o inferno manter sua respiração sob controle.

"Quando você promete um beijo, você dá tudo de si", ela guinchou, e ele sorriu, puxando a cabeça de Terri para dentro do torto do pescoço dele, onde ele sentiu o suspiro dela mais do que ouviu.

"Eu não faço nada sem dar cem por cento", ele murmurou no cabelo dela.

Terri inclinou-se para trás e olhou para ele, uma sobrancelha levantada. "Que atleta muito...profissional da sua parte".

Porque ele não conhecia Terri tão bem, Mikael achou difícil saber o que ela queria dizer. Ela estava brincando ou aquele comentário a deixou com raiva? Finalmente, ela sorriu. Então ele devolveu o sorriso. "Como você acha que eu cheguei onde estou"?

Ela fingiu parecer ofendida. "Beijando pessoas com cem por cento de sua energia e atenção? Essa é uma maneira estranha de conseguir um lugar em uma equipe".

Ele a empurrou suavemente. "Você sabe o que quero dizer".

"Sim, sim". Ao desviar alguns, ela olhou para fora da água novamente. "Este lugar, mesmo quando está lotado como hoje, ainda é uma das áreas mais bonitas em Buffalo. Eu amo isso aqui".

Ele deixou o assunto cair. "Eu posso entender o porquê. Essa foi uma coisa que eu perdi quando joguei no Minnesota. Eu gosto de ter água perto de mim. Foi com isso que eu cresci". Ele esperou um momento e então perguntou: "Então, onde você acha que eu deveria morar? Aqui embaixo perto da água com os solteiros ou dentro, onde você disse, Clarence? Com os homens da família?"

Terri deu-lhe um olhar do canto do olho. "Você faz 'homens de família' soarem como uma doença".

"Não, de forma alguma. Eu gostaria de ter uma família". Mas eles vão me deixar comprar uma casa em Clarence sem esposa e filhos"?

Ela balançou a cabeça, rindo. "Você é um homem muito estranho". Então ela perguntou: "O que você acha? Talvez um pequeno lanche no bar do hotel e depois fogos de artifício"?

"Se você estiver com fome novamente, claro".

"Eu imaginei que você seria, Sr. Atleta Profissional de Grande Porte". Tudo o que fiz foi ficar no lugar e colocar meu corpo fortemente almofadado na frente de discos de borracha congelados".

Mikael farejou. "Sim, certo. Nós dois sabemos que o objetivo é muito mais do que isso. Mas falando em comida, eu espero que a tempestade me mude para um hotel com cozinha em breve. Eu não tenho feito meus tremores de proteína nos últimos dias e quando eu paro por muito tempo eu perco peso. Eu vou perguntar a Karen sobre isso".

"Eu posso lhe trazer um abanão amanhã". Eu tenho o pó na minha casa, já que não consigo manter peso quando estou jogando muito. Todo aquele equipamento é pesado para carregar por aí".

"Você não tem que fazer isso por mim".

"Eu não me importo. Neste momento eu não estou usando-as, já que não estou realmente competindo, mas eu entendo o valor delas, acredite em mim". Eu vou fazer um lote para que você tenha o suficiente para dois batidos. Talvez isso ajude a manter o peso". Ela sorriu, com um brilho no olho. "E do tipo que eu tenho gosto de um batido de chocolate".

"Oh, sim". Mikael aproveitou a oportunidade para dar outro beijo rápido. "Obrigado. Eu agradeço muito".

"Nada de especial". Ela ficou de pé e estendeu a mão. "Vamos voltar?"

"Sim, de repente estou com fome".

Terri rolou os olhos. "Eu aposto".

*****

Mais tarde naquela noite, Mikael enjaulou Terri entre ele e o corrimão enquanto esperavam que os fogos de artifício começassem.

Terri se afastou dele, seu olhar se fixou no porto em frente a eles. "Isto vai parecer bobagem, mas eu acho que nunca fui acariciado por um homem que se assemelhasse a uma parede de tijolos. Lembra-se de como você disse que me ver fazendo salvamentos era sexy"? Ele fez uma espécie de barulho concordante no ouvido dela. "Estar cercado por você é muito sexy. Todos aqueles músculos duros são excitantes porque eu sei o quanto eles são difíceis de alcançar".

"Estou feliz em ouvir isso".

"Eu tenho uma confissão".

"Oh? me diga". A curiosidade o fez se inclinar mais para perto.

"Quando você jogou aquele idiota em seu próprio banco, estava muito quente. E você fez com que parecesse tão fácil".

"Como alguém disse, eu provavelmente tenho trinta ou quarenta quilos de músculo a mais do que aquele cara". Uma boa verificação de quadril fez o truque".

"Faça luz do que você quiser. E você está na caixa de penalidades? Não faço idéia porque isso é sexy. Talvez eu tenha um complexo de bad-boy que eu não conhecia".

"Eu espero que não. Só tive dezesseis penalidades em minutos durante toda a temporada passada".

"Sério? Você foi indicado para o prêmio do campeonato por jogar como desportista"?

"Não, mas tudo bem. Eu saio, eu jogo meu jogo, eu faço o que tenho que fazer para ajudar meus companheiros de equipe a vencerem, e eu vou para casa. Eu não preciso estar no centro das atenções. Eu nem gosto disso. Sei que faz parte de ser um atleta, mas prefiro simplesmente sair e relaxar".

"Funciona para mim".

Mikael estava definitivamente conseguindo algo legal para Karen por sugerir este lugar. Apenas algumas outras pessoas ocupavam o grande espaço e, como os fogos de artifício ainda não tinham começado, ele gentilmente virou Terri em seus braços e depois a beijou novamente, levando-a rapidamente muito mais fundo do que a primeira que eles compartilharam. Mikael lutou para manter suas mãos sobre o corrimão, sem sucesso. Eles a enroscaram nas costas enquanto suas línguas se afastavam, primeiro um perseguindo o outro e depois o oposto. Sim, ele poderia facilmente se acostumar a isso.

Eles continuaram a se beijar e suas mãos tocaram ao longo da espinha dele antes de um descansar bem acima do seu traseiro e o outro no seu ombro. A virilha dele apertou, querendo entrar na festa. Ele tinha certeza que Terri podia sentir isso, mas ela não fez nenhum comentário ou esforço para se afastar.

Suas mãos se moveram para baixo, escumando dentro da bainha do topo do tanque dela para tocar a pele quente e nua de suas costas, e ela gemeu. Mikael quase a perdeu na hora, mas conseguiu se segurar. Neste ponto, eles estavam curtindo como adolescentes e Mikael sabia que deveria parar, mas achou quase impossível se afastar de sua boca sedutora. Um som irrompeu ao redor deles.

Terri quebrou o beijo e se afastou dele. "Ou os fogos de artifício estão começando ou alguém acidentalmente acionou um canhão em um dos navios antigos". Ela soou ofegante, e Mikael lutou para recuperar seu próprio senso de equilíbrio.

No momento, ele lutou com uma luta perdida para voltar a ter seu corpo desobediente sob controle. Ele só conseguia pensar em se achatar para ela por trás e aninhar sua ereção entre as bochechas musculosas do rabo dela. Os fogos de artifício eram lindos, sem dúvida, mas Mikael não conseguia despertar muito interesse neles. Gentilmente, ele afastou o cabelo de Terri e começou a mordiscar o pescoço dela. Ela gemeu e inclinou sua cabeça sobre o ombro dele.

Ele sempre tratou as mulheres com respeito. Então, mesmo que a idéia de enfiar seus dedos dentro da cintura de suas calças capri para levá-la ao céu enquanto os fogos de artifício continuavam a fazer com que ele sofresse com isso. Talvez se eles se conhecessem melhor e estivessem sozinhos, mas não agora. Então, tentando esconder um suspiro frustrado, Mikael se forçou a assistir a exibição na frente dele.

Quando os fogos de artifício terminaram, ele deu um passo atrás e ela se afastou do gradeamento. "Este é um lugar incrível para assistir a um evento como aquele".

"Estou feliz por você ter gostado".

"Eu provavelmente deveria, hum, ir para a cama. Se nós tivermos dois jogos amanhã pode ser um dia longo".

Mikael acenou com a cabeça. "Eu vou acompanhá-lo até o seu carro".

Uma vez que deixaram o hotel e encontraram o carro dela no lote vizinho, Terri destrancou a porta lateral do motorista e depois se encostou a ela. "Obrigado por um ótimo dia. Não se esqueça... Eu lhe trarei um abanão amanhã".

"Eu não vou. E obrigado novamente. Eu também tive um grande dia". Depois de dar uma olhada rápida, Mikael mergulhou suas mãos no cabelo de Terri e a beijou novamente. Desta vez ambos soltaram gemidos, e Mikael sabia que quanto mais tempo ele a beijava, mais difícil seria parar, então ele a deixou ir e deu alguns passos para trás.

Com uma última olhada, sorridente, Terri entrou em seu carro. "Vejo você amanhã".

TRÊS

Mikael acordou na manhã seguinte ao som de seu telefone, sinalizando que uma mensagem de texto havia chegado. Ele havia dado a Terri seu número ontem à noite e uma pequena excitação o roubou quando ele viu o nome dela.

Jogo às 9 da manhã. Melhor ir para a arena. Nós estamos no ringue principal. Eu tenho o seu tremor.

Ele olhou para o relógio. Já são sete e meia. Por que ninguém o despertou? Então ele olhou para o telefone dele. Oops. Faltou uma mensagem de Karen às seis e meia e uma de Terri às sete.

Os hotéis não eram os lugares mais fáceis para dormir e surpreendeu Mikael que ele tivesse ficado tão fora dele que tinha perdido dois sinos em seu telefone. Correndo para sair da cama e se vestir, Mikael esperava que seus companheiros de equipe não ficassem zangados com ele. Depois de pegar rapidamente algumas coisas, como a chave do quarto e o telefone, ele saiu do quarto e, em uma corrida rápida, foi para o vestiário.

Assim que ele se sentou para começar a se vestir, ele disse: "Eu peço desculpas pelo meu atraso. Eu dormi pelo meu telefone dizendo que eu tinha mensagens. Eu nunca faço isso". Por que seu rosto estava quente, Mikael não podia dizer, mas ele sentiu como se tivesse decepcionado a equipe não estar aqui quando todos os outros estavam.

"Nada de especial. Eu acho que você poderia ficar no gelo frio e com uma mão amarrada atrás das costas e ainda jogar melhor do que todos nós", disse Paul. "Tudo o que fizemos foi ter uma pequena reunião de qualquer maneira". Nenhum de nós foi para o gelo ainda, então realmente, o seu timing é perfeito".

"Algo que eu precise saber?"

Agora Paul snifou. "Tente não fazer o resto de nós ficar mal?" Ele sorriu, bateu no ombro do Mikael, e passou por ele.

Mikael pegou seu equipamento rapidamente e foi para o banco. Um batido estava ali sentado com um pedaço de fita adesiva de hóquei enrolado ao redor do recipiente. Seu nome. O batido dele. Ele bebia mais estas coisas todos os dias; por que o pensamento que Terri tinha feito para ele causou tanta alegria?

Rob D'Amico parou na frente do banco, tirando sua luva. "Mikael, prazer em conhecê-lo. Obrigado por fazer isso. Significa muito para as crianças".

"Não é problema". Mikael sorriu de volta para o homem, que ele julgou ser mais ou menos da sua idade. "Eu estou aqui, eu obviamente tenho tempo e gosto de crianças". Então ele franziu o sobrolho. "Eu não entendo porque as escolas não podem sustentar os alunos aqui". Algumas coisas são tão diferentes da Finlândia e não fazem sentido para mim".

"Alguns têm dinheiro suficiente", disse Rob com um encolher de ombros. "Mas onde Alaina, minha namorada, trabalha é no interior da cidade e a maioria desses distritos é pobre".

Ele já estava nos EUA há algum tempo, mas Mikael ainda não conseguia entender porque todas as escolas não eram tratadas da mesma maneira. "O governo deveria dar dinheiro igual para todos". De qualquer forma, eu estou sempre feliz em fazer qualquer coisa por um colega de equipe ou pela própria equipe".

Rob riu. "Você pode se arrepender de ter dito isso. Vejo você mais tarde".

Mikael havia pegado seu tremor e começado a abafá-lo durante sua conversa com Rob, e ele olhou para baixo de surpresa para ver que já estava meio perdido.

Terri madeireira, sacudindo a cabeça dela em direção ao recipiente em sua mão. "Como é isso?"

"Realmente, realmente bom". Eu preciso encontrar um sabor que eu goste mais do que aquele que eu estou usando agora".

"Eu lhe enviarei uma mensagem de texto com as informações sobre este aqui".

"Isso seria bom, obrigado". Ele baixou sua voz. "Você dormiu bem?"

Terri corou. "Fora como uma luz. Você?"

"O mesmo". Então, inclinando-se mais perto de Terri e mantendo sua voz baixa, ele disse: "Estou surpreso que eu tenha dormido. Só conseguia pensar nos seus beijos".

Através de sua máscara, os cantos da boca de Terri chutaram para cima. "Eu, hum, é melhor eu ir praticar mais".

"Vejo você mais tarde".

Ele saiu no gelo e deu algumas voltas para aquecer as pernas, empurrando preguiçosamente um disco ao redor do ringue. Eles ficaram fora por um tempo e depois voltaram para a área do vestiário para relaxar antes do jogo. Terri tinha entrado com eles, rindo e brincando com alguns dos outros caras e um foguete de possessividade levantou sua cabeça.

Você já a beijou algumas vezes. Ela não é sua.

Um lado de seu cérebro era lógico; o outro não se importava quantas vezes ele a tinha beijado, Terri era dele. Ele duvidava que ela gostasse que ele dissesse isso, no entanto, por isso ele manteve a boca fechada, usando o tempo para refilmar seus paus. A atividade sempre o acalmava e ajudava a centralizá-lo antes de um jogo.

Então, quando o jogo começou, Mikael entrou em sua zona, onde ele parecia ter visão de túnel. Ele não notou nenhum barulho de multidão ou algum pequeno desconforto, ele apenas jogou o jogo.

Seu colega de equipe o atingiu com um passe de alguns metros na sua frente e Mikael voou pelo lado esquerdo do gelo, dimensionando o goleiro. O zagueiro tentou bloqueá-lo, para mantê-lo para fora, mas a força e a habilidade de Mikael não foram compatíveis com o homem. Ele dirigiu para a rede, depois deixou cair um passe para um homem cerca de 1,80m atrás dele, mandando o disco através de suas próprias pernas, e o cara um vez na rede. Todos eles comemoraram e o homem disse: "Incrível passe, cara! Brincar com você é tão legal"! Este cara era um dos mais jovens do time e Mikael julgou que ele ainda estava no colegial. O garoto tinha habilidades, no entanto.

Mikael sorriu. No caminho de volta para o banco, ele fez um desvio até Terri, que estava a cerca de três metros de distância, bebendo de sua garrafa de água.

"Belo objetivo".

"Eu não marquei. Eu apenas a marquei".

"Com um passe malicioso, a maioria de nós só sonha em fazer realmente. Sim, eu notei, Gretzky".

Agora ele riu. "Eu não sou nenhum Wayne Gretzky".

"Para esses caras você é". Com isso, ela se virou e começou a se agitar de volta para a rede deles da mesma forma que apenas goleiros poderiam escapar e não ser ridicularizados por seus companheiros de equipe.

Mesmo com um esforço duro, no entanto, sua equipe perdeu por 3-2. Durante o aperto de mão no final, Rob deu a ele um rápido abraço de um braço. "Vejo você na academia. Seb disse que ia te ligar".

"Sim, e eu ficaria muito feliz em trabalhar com vocês. Boa sorte no jogo final".

"Obrigado novamente, cara".

Mikael saiu do gelo com o resto de seu time, desapontado pelos homens com quem jogou e desejando ter feito mais. Mas aparentemente seus companheiros de equipe não viram isso dessa maneira, pois eles conversavam felizes apesar de terem apenas perdido. Eles reviveram vários momentos do jogo e o atraíram para a conversa enquanto ele tirava seu equipamento.

"Cara, esse passe", disse Paul. "Eu nunca vi nada assim de tão perto". Não olhe, através do passe de queda das pernas. Incrível. Eu nem sei o que dizer. Eu estava sentado no banco com a boca bem aberta".

"Sim, pegando moscas", outro colega de equipe retorquiu.

Ele realmente não entendia do que eles estavam falando, então ele simplesmente encolheu os ombros. "Eu sou um bom passageiro. É uma das razões pelas quais a Tempestade me assinou".

"Bem, tudo que eu posso dizer", começou outro homem, "é que assim que a Storm Store tiver sua camisa eu vou sair para comprar uma para mim e para o meu menino". Ele já te idolatra".

Mikael corou. "Obrigado. Vocês foram todos muito gentis".

"Carinhoso"? Paul riu. "Você concordar em brincar conosco seria definitivamente considerado gentil. Nós brincando com você parece um sonho. Verdadeiramente". Ele estendeu sua mão e Mikael apertou-a.

"Eu me diverti".

Depois disso, ele tomou banho e se vestiu. Ele tinha vestido um par de shorts com a camiseta em que dormiu para poder sair rapidamente do quarto do hotel esta manhã e precisava vestir algo mais bonito, mas planejava perseguir Terri antes de voltar para o seu quarto. Esperemos que ele fosse capaz de pegá-la e que eles pudessem caminhar juntos de volta para lá e depois ir fazer algo. Talvez ele pudesse ver mais da área do que a arena e a orla marítima, por mais agradáveis que fossem. O único outro cenário ao qual ele tinha estado exposto tinha sido o aeroporto, uma rodovia, um hotel a algumas quadras da arena onde ele tinha ficado quando Minnesota tinha tocado a tempestade, e alguns restaurantes. Até os lugares onde Terri o tinha levado para comer até agora tinham sido próximos.

Ele não tinha idéia de onde Terri tinha sido colocado, mas ele sabia como encontrar a porta do estacionamento, então ele foi lá para esperar. O carro de Terri ainda estava no estacionamento. Mikael tinha esperado talvez dez minutos antes de Terri virar uma esquina, carregando sua bolsa de equipamentos pesados, sem dúvidas, no ombro. Silenciosamente, ele se aproximou e a tirou dela. Ela levantou uma sobrancelha.

"Está com vontade de fazer sua boa ação do dia ou você estava esperando por mim?"

Não conseguindo evitar, Mikael piscou um sorriso. "Ambos?"

Terri rolou os olhos, mas sorriu. "Muito bem. Vamos lá". Ela abriu o caminho até seu carro e abriu o porta-malas. "Atire-os para lá". Ele colocou as duas malas dentro e ela então fechou o porta-malas antes de girar para enfrentá-lo. "Já passa da hora do almoço, mas antes do jantar".

"Sim?" Ele sentiu suas sobrancelhas se arrastarem. Como ela esperava que ele respondesse?

"Você está com fome?"

"Sim".

"Ah, isso é melhor. Não é uma pergunta". Terri bateu no teto do carro. "Entre".

Ele se esmerou por um minuto e então finalmente disse: "Eu gostaria de mudar". Eu me vesti rapidamente esta manhã".

Ela o procurou para cima e para baixo e várias partes do corpo se interessaram pela situação rapidamente. Ele se deslocou de pé para pé, então esperançosamente ela não notaria. "Se você se sentisse mais confortável, vá em frente, mas eu acho que você está bem".

Eu acho que você também está muito bem, mas não, eu não quero sair com a camisa em que dormi.

"Eu gostaria de mudar".

"Tudo bem. Vamos bater isso primeiro e depois vamos".

A idéia de ter Terri sozinho em seu quarto de hotel fez Mikael ficar tonto. "Eu posso simplesmente encontrá-lo aqui se você não quiser ir até lá".

"Não é um problema".

Talvez ela queira ficar sozinha comigo.

Juntos eles puxaram a bolsa dele para fora e depois caminharam até o hotel, subindo no elevador até o chão do Mikael. Ele encontrou seu quarto, deslizou a chave para o mecanismo e abriu a porta. Por natureza e necessidade ele tinha sido criado em Mikael, mas ele esperava não ter deixado coisas por aí quando ele saiu correndo esta manhã.

Ele pegou algumas roupas de sua mala e disse: "Sente-se e eu já volto".

"Está bem."

Roubando para dentro do banheiro, Mikael então se encostou na parte de trás da porta, soprando uma expiração lenta e fechando os olhos. Ele queria da pior maneira voltar lá fora e beijar Terri, baixando-a lentamente para o colchão embaixo dele, mas não conseguiu. Não importava o quanto ele a desejava, Mikael não pressionava. Isso deixou o problema imediato de sua excitação, no entanto, e ele não estava prestes a masturbar-se no banheiro com Terri do outro lado da porta. Além disso, ela pensou que ele tinha entrado ali para trocar de roupa, e estar fora por vários minutos mais do que o necessário provavelmente pareceria suspeito e o envergonharia. Com a sua sorte, ele tinha desabafado o que estava fazendo e a equipe poderia alugá-lo como um sinal vermelho permanente de gol.

Enquanto ele mudava, Mikael tentava pensar em coisas pouco sensuais; o cheiro de um vestiário, a forma como a maioria dos jogadores de hóquei parecia grosseira e malformada por usar tanto patins, impostos, qualquer coisa para se livrar de sua tesão. Funcionou e Mikael deixou o banheiro.

"Você está pronto?"

Terri virou da janela. "Esta é uma vista incrível, também".

Ele se aproximou dela. Talvez um beijo. Como o único beijo na marina. Certo. "Sim, é, mas eu não estou olhando para a beira-mar".

Ela corou e ele se viu ainda mais encantado. "Você é pateta".

"Ridículo?

"Bobo".

Mikael fingiu ser ofendido. "Eu não sou bobo". Alcançando suas mãos para cima, ele fez o que estava morrendo de vontade de fazer por um tempo e as empurrou para o cabelo dela, desalojando muito dele de seu rabo de cavalo, e a beijou. As mãos de Terri deslizaram ao redor de sua cintura e uma das suas caiu no ombro dela e a puxou para mais perto.

Beijar Terri se sentiu completamente diferente de qualquer coisa que Mikael já tinha conhecido. Ele passou a língua dele por cima dos lábios dela e ela abriu a boca. Apesar de ele nunca ter sido do tipo de encontrar uma mulher por uma noite, dar um tapa em sua luxúria e seguir seu caminho, com Terri ele descobriu que queria falar com ela o tempo todo, apenas ter a oportunidade de estar com ela. Claro, ele queria beijá-la da cabeça aos pés, mas fazer isso não seria suficiente.

A boca de Terri tinha um sabor doce, como se ela tivesse comido um pedaço de chocolate recentemente. Mikael era um chocólatra, o que ele raramente conseguia satisfazer, e outro gemido saía de seus pulmões já gritando por ar. Ele recuou o tempo suficiente para que ambos arrastassem a respiração e, quando ele fez isso, o cheiro inconfundível da excitação de Terri bateu no nariz dele da melhor maneira possível.

"Eu quero você. Eu estou com fome, mas eu quero você. Que não tenha sexo. Eu não faria isso tão rápido. Mas você é tão bonita...".

Ela sorriu, uma expressão mais suave do que ele já tinha visto, e seu coração pulou uma batida. "Comida primeiro, curtir depois".

"Curtindo?" Terri usava muitas frases que ele não estava familiarizado e às vezes Mikael se sentia um pouco burro.

"Beijos". Coisas assim".

"Oh. Sim. Desde que haja curtição, eu sou bom".

Um cheiro escapou dela. "Homem típico".

Mikael franziu o sobrolho. Deixando cair as duas mãos nos ombros dela, ele disse: "Isto não é sobre sexo. Eu espero que você saiba disso. Eu gosto de você. Eu gosto muito de você".

"Eu também gosto de você", sussurrou ela, olhando para baixo.

Ele pegou suavemente o queixo dela para que Terri levantasse o olhar mais uma vez. "Por que você parece tão triste quando você diz isso?"

Os olhos dela revistaram os dele. "Eu lhe disse. É provável que eu tenha que deixar a área para continuar jogando".

"Então isso significa que não podemos namorar"?

Afastando-se mais, ela deu um passo atrás, esfregando a testa. "Não. Apenas... eu não quero começar algo e tenho que deixá-lo".

"Você tem uma oferta?"

"Não. Tenho estado em contato com algumas equipes de ligas menores, tanto aqui como no Canadá, mas ainda não ouvi nada definido".

"Então por que não vemos para onde isto vai? Não há pressão para que aconteça algo para o qual você não esteja preparado".

Terri armou a cabeça dela. "Você realmente acredita nisso, não é mesmo?"

"O que você quer dizer?"

"Você é realmente tão legal, deixar as coisas acontecerem quando elas acontecem".

"Por que eu não estaria?"

"A maioria dos homens ou quereria levar as coisas mais longe, então nós tínhamos mais laços quando eu saía, ou eles me cortavam completamente e seguiam em frente".

"Eu acho que não sou como a maioria dos homens", disse ele, cruzando seus braços sobre seu peito. "Eu não faço sexo com tantas mulheres quanto posso". Não é uma competição. Eu quero encontrar alguém com quem eu possa estar". Não estou planejando propor casamento a alguém e ter bebês o mais rápido possível, mas tenho idade suficiente para saber o que quero, e isso não é um caso de uma noite". Uma namorada, algo mais...". Ele lutou pela palavra.

"Firme?"

"Sim!" Ele não queria parecer tão entusiasmado e provavelmente assustou a pobre garota, mas ela ainda não tinha corrido.

Terri acenou com a cabeça, mordendo o lábio. "Eu posso viver com isso". O estômago dela resmungou. "Mas eu não posso viver sem comida, então vamos comer".

*****

Durante o jantar, o telefone da Terri tocou. Parecendo envergonhada, ela ergueu um dedo para o Mikael e o reservou para fora do restaurante. Ele a viu partir, esperando que tudo estivesse bem. Um momento depois, ela voltou.

"Então você sabe como eu estava dizendo que estive em contato com algumas equipes"?

"Esse foi um no telefone?"

"Sim. O afiliado da liga menor da Storm, na verdade, que eu não tinha ouvido, estava procurando por um goleiro. O time da liga menor é de propriedade da Storm. Eles têm sua própria equipe administrativa, mas vários dos executivos da Storm trabalham em coisas para o time da liga menor. Aquele era um executivo da Storm, o GM assistente".

"Faz sentido. De qualquer forma, isso é bom, certo?"

"Sim. Eles estão localizados a uma hora de distância, em Rochester. Jogar para eles seria o mais próximo que eu poderia estar de Buffalo". Ela recolocou o guardanapo no colo e pegou seu garfo mais uma vez. "Eu só me pergunto o que está acontecendo que eles estão falando comigo?".

Mikael encolheu os ombros. "Pode ser qualquer coisa". Talvez um dos atuais contratos dos golistas tenha acabado e ele seja um agente livre irrestrito. Talvez eles planejem comprar um deles. Isso realmente não importa. O que ele disse?"

"Eles me viram jogar no torneio, o que não é surpreendente, é claro, e também durante as Olimpíadas e ficaram impressionados. A tempestade está fazendo um acampamento para novatos em algumas semanas e eles me convidaram para vir".

"Isso é ótimo! Eu estou feliz por você".

"Sim..." Terri começou a comer novamente.

"Por que você não está animado?"

"Eu sou. E Rochester está muito mais perto do que muitos dos outros lugares que eu estava procurando, como eu disse. Mas pode realmente ser assim tão fácil"?

"Talvez. Nem tudo tem que ser difícil. Espere e veja o que eles dizem. Preocupar-se agora não vai ajudar você".

"Eu sei". O telefone dela zumbiu novamente. "Esta é uma mensagem de texto. Espere um pouco. Desculpe-me por continuar fazendo isso com você".

"Sem problemas".

Ela olhou para baixo para o telefone e Mikael assistiu enquanto os dois navegadores disparavam para cima. "Bem, tudo faz sentido agora".

"O que você quer dizer?"

"Estou inscrito para receber alertas através de texto de um monte de equipes de ligas menores". Aparentemente, eles tinham uma razão específica para me ligar. Eles estão lançando um de seus artilheiros, exatamente como você disse. Huh".

"Para que serve o 'huh'?"

"É meio estranho, essa coisa toda. Normalmente eles enterram o cara em algum outro lugar da organização, já que a Tempestade está afiliada a vários outros times da liga mais pequenos. Isso me faz pensar. Se eles estão liberando o jogador, será que eles o pegaram fazendo alguma coisa? Pegando alguma coisa? A política de drogas no hóquei menor e profissional é bastante aberta em comparação com outros esportes, como você sabe, mas há algumas coisas que o time não toleraria". Colocando o telefone de volta em sua bolsa, Terri continuou. "De qualquer forma, como você disse, não adianta se preocupar com isso. Eles me dirão o que acham que é importante".

O resto da refeição continuou com uma pequena conversa, mas Terri parecia distraída, sem dúvida pelo convite do acampamento.

Finalmente ele não podia mais suportar. "Eu tenho uma idéia. Eu não sei o que os outros caras vão pensar sobre isso, mas posso perguntar a eles".

"Uma idéia? Eu deveria estar animado ou assustado?"

Mikael riu. "Não é nada assustador. Alguns dos jogadores da Storm mencionaram patinar por conta própria, fazendo exercícios, coisas assim. Eu pude ver se eles não se importariam que você fizesse parte disso. No Minnesota nós geralmente contratávamos crianças da faculdade e coisas do gênero quando precisávamos de marcadores de gols. Jordan jogou no torneio, mas eu não sei se ele vai ficar aqui durante o verão. Também não tenho certeza sobre Brendan. Mas eu posso perguntar quando eles me chamam. Dessa forma você deve estar em boa forma quando o acampamento abrir. Você não teria que trabalhar por conta própria só porque você é mulher. Eu fiquei impressionada com sua habilidade, mesmo antes de descobrir que você era uma garota. Uma garota linda".

"Jogando gol para um bando de jogadores profissionais de hóquei? Sim, eu diria que isso me manteria fresco. E provavelmente me acostumaria muito mais a ser pontuado".

Mikael fez um movimento de desdém com sua mão. "Você ficaria bem". Eu vou perguntar quando eles ligarem".

Ela olhou para ele, seus olhos macios e relaxados. "Eu realmente apreciaria isso. É muito simpático da sua parte".

"Não é nada demais", respondeu Mikael. "Agora termine sua refeição".

"Por quê? Tem algum plano maluco para hoje à noite?"

"Hmm." Ele fingiu pensar sobre isso. "Não, eu não penso assim. Mas se você vai brincar com os garotos grandes você precisa ser forte".

Terri deu o que ela podia ver dele uma vez. "Big boys, huh?"

Mikael sorriu. "Quem sabe?"

Eles terminaram sua refeição e voltaram para o carro da Terri. "Ainda é cedo. Há alguma coisa que você gostaria de fazer? Ver mais de Buffalo? Alguns dos subúrbios? Algo mais?"

"Por que você não me mostra seus lugares favoritos?"

"Certo, mas eles não estão todos juntos".

"Eu não esperaria que eles fossem. Buffalo é uma cidade bastante grande, baseada no que eu tenho visto, apesar do que as pessoas dizem".

"Isso é verdade". Ela colocou o seu sinal de curva e saiu para a rodovia que corria perto da arena. "O primeiro lugar que eu quero mostrar a você é a Tifft Nature Preserve. É realmente perto. Pode não estar aberta agora, mas você ainda pode ver parte do lugar".

Ela pegou uma saída e logo eles estavam de pé no estacionamento. "Hmm. Eu pensei que talvez eles tivessem ampliado as horas para as férias, mas acho que não".

"É incrível como é tranquilo aqui. Tão perto do centro da cidade, mas muito tranquilo".

"Eles têm algumas visões bem legais". Toneladas de pássaros, trilhas bem conservadas. Nós podemos voltar". Bem, eu acho que precisamos voltar para o carro". Eles voltaram e, quando Terri saiu para a estrada, ela perguntou: "Você come sorvete? Eu sei que vocês estão em dietas rígidas, mesmo no verão".

"Não com muita freqüência. Por que você pergunta?" Mikael não tinha perdido a referência casual de voltar para a reserva, e manter um sorriso fora de seu rosto representava um desafio.

"Há um belo parque em Williamsville e a uma curta distância a pé deste grande lugar de sorvete. Eles fazem tudo bem no local. Mas há outros lugares onde podemos ir se você quiser se manter fiel à sua dieta".

O sorvete soou muito bem para Mikael. "Eu gostaria de poder". Tenho certeza que eu gostaria muito". Mas eu quero ter certeza de que chego ao acampamento forte e com peso. Os treinadores e o treinador de força e condicionamento devem se encontrar comigo em breve, mas os meus antigos disseram para não ficar acima dos cem quilos e dez por cento de gordura corporal. Eu não quero que a tempestade pense que eu me descuidei durante o verão. E como sou um grande amante do chocolate, uma vez que começo é difícil parar novamente".

"Você sabe, é engraçado. O peso e a gordura corporal não são tão falados no hóquei feminino. Por exemplo, para olhar para mim, você pensaria que eu era considerado bastante sólido para uma jogadora de hóquei feminino. Mas eu tenho 1,80 m e peso apenas 150 quilos. Um bom e forte vento de búfalo pode me derrubar. Eu não tenho a menor idéia de qual é a minha porcentagem de gordura corporal. O músculo pesa mais que a gordura, então eu não tenho certeza se realmente entendo a correlação entre peso e gordura corporal. Jogadores profissionais de hóquei masculino precisam ter algum volume. Eu entendo. O hóquei masculino é um jogo difícil. Você está batalhando, batalhando por discos, jockeando por posição na frente da rede. Seu centro de gravidade, sua força central e como é difícil tirar você do disco são muito mais importantes do que no hóquei feminino, que depende mais da habilidade pura e menos da fisicalidade. Os melhores jogadores do mundo, os realmente de elite, são impossíveis de tirar o disco. Você acaba perseguindo-as e se sentindo como um idiota".

"Uau. Você sabe muito sobre isso".

Ela encolheu os ombros, seu rosto ficou rosa. "Eu era formada em ciências do esporte na faculdade. Às vezes eu fico um pouco apaixonada".

"Isso é muito legal".

"Obrigado. Hum, você provavelmente está se perguntando para onde eu estou dirigindo"?

"Eu confio em você para não me abandonar em algum lugar à beira da estrada".

Terri rastejou. "Eu não seria popular com a Tempestade se eu fizesse isso".

Ele virou suas costas para a janela para que pudesse olhar para ela mais diretamente. "Se essa é a única razão pela qual você não faria isso agora eu estou um pouco assustado".

Afinal, ela estava levando-o para um parque diferente. Tinha carrinhos de golfe e mini-gaiolas de golfe e gaiolas de batedura e eles passaram as horas seguintes brincando com tudo. Quando eles finalmente voltaram para o carro, ela perguntou: "Para onde agora?

Mikael lentamente deixou sair um fôlego. "Isso depende de você. Se você quiser ficar no meu quarto, nós podemos fazer isso. Nós podemos voltar para o telhado. Eu sei que você gostou de estar lá. Ou você pode ir para casa".

"Por 'curtir' você quer dizer 'curtir', certo?"

"Se é isso que você quer". Se não, eu posso guardar minhas mãos para mim mesmo". Não é fácil, mas eu posso. "Poderíamos assistir a um filme ou algo assim".

"Que tal isso? Vamos até o telhado, ver o sol se pôr, já que isso deve ser em breve, e então decidir se ainda temos energia suficiente para alugar um filme ou o que quer que seja".

"Soa muito bem para mim".

Meia hora depois, Mikael segurou a mão de Terri enquanto ele a conduzia através do labirinto de árvores e plantas no jardim no terraço. Ele se sentou em um banco que parcialmente enfrentava o pôr-do-sol, imaginando que seria menos provável que ele os cegasse então. Terri sorriu quando ele colocou seu braço em volta dela e, quando o sol começou a desvanecer-se, ele atiçou o pescoço dela ao invés de assistir ao último show. Terri inclinou sua cabeça para trás, descansando-a no banco atrás dela. Mikael trabalhou sua mão entre o banco duro e a cabeça dela e depois a beijou.

Ela cantava mais o corpo dela em direção a ele e ele levava as pernas dela para cima para descansar em suas coxas enquanto ele continuava a empurrá-la com pequenos mordidos e beijinhos. Descendo um pouco, ele lambeu a pele branca e perolada do decote dela, não ousando ir muito mais longe em um lugar relativamente público. Um murmúrio silencioso escapou dela quando sua outra mão trabalhou logo abaixo da bainha da camisa dela e esfregou gentilmente nas pequenas costas dela. A pele de Terri era tão macia. Mikael podia dançar as pontas dos dedos sobre ela o dia todo.

"Leve-me para dentro".

Ele puxou alguns para trás para olhar para ela. "Você tem certeza?"

"Sim".

Eles saíram correndo do jardim, rindo do entusiasmo um do outro, e logo estavam no quarto do Mikael. Por alguma razão, ele estava muito nervoso. Mas Terri chutou os sapatos dela e sentou-se na cama dele antes de voltar, e as borboletas dele desbotaram enquanto ele olhava para ela.

"Você é tão bonita".

"E sentindo-se solitário".

"Oh, nós não podemos ter isso".

Ela se apoiou em seus cotovelos e o viu tirar seus próprios sapatos. "Falando em beleza, alguma coisa lhe disse como as coxas de árvore são sexy?"

Mikael quase caiu de rir, já que estava no meio da remoção de seu segundo sapato. "Hum, não".

Terri snorted. "Estas mulheres não sabem como procurar qualidade". Ele deslizou para a cama mas não conseguiu decidir se deveria se deitar ao lado dela, entre as pernas dela, em algum outro lugar? Ela tomou a decisão por ele quando suas pernas se abriram e o acenou com um dedo.

Ele gemeu. Mikael queria estar lá com as longas pernas de Terri enroladas em volta dele, com os calcanhares dela cavando o rabo dele. Terri tornou difícil para ele ser um cavalheiro. Quando ela sorriu de encorajamento, ele rolou para o espaço, segurando seu peso fora dela.

"Seus olhos são mais escuros".

As sobrancelhas dele caíram. "Mais escuro?"

"Uh-huh. Eu acho que quando você está excitado eles fazem isso".

"E como você sabe que eu estou excitado?"

Ela sorriu. "Vamos apenas dizer que a evidência está lá". Terri inclinou a pélvis para cima e o fôlego de Mikael ficou preso. Se ela continuasse assim, ele estaria vindo em seus boxers. Caindo em seus antebraços, Mikael atacou sua boca, sugando sua língua e explorando antes que ela perseguisse a língua dele de volta em sua própria boca. Ele mudou a inclinação de sua cabeça e a beijou ainda mais profundamente. Ele era duro de rocha e não conseguia escondê-la. Felizmente, ela não parecia se importar.

Depois de passar as mãos dela pelo cabelo dele, ela as levou de costas até a bainha da camisa dele. Mikael ficou um pouco surpreso com a rapidez com que as coisas estavam indo, mas enquanto Terri parecesse bem - e tirando suas roupas mostrava uma forte indicação disso - ele esperava e via para onde isto ia. Ela jogou a camisa dele de lado e então correu com as mãos no peito dele até os abdominais dele.

"Tão quente". Eu amo a maneira como seu corpo se sente".

Mikael só conseguia cheirar. "Sim, eu também. Quero dizer, eu amo como seu corpo se sente".

Inclinada para cima, ela lhe deu um beijo leve. "Eu sei o que você quis dizer". As unhas curtas dela arrancaram levemente sobre os mamilos dele. "Você gosta disso?"

"Sim".

"Mais difícil? Mais suave"?

"Mais difícil". Eu também quero vê-la. Mas eu posso? Eu deveria?

Seu conflito interno foi resolvido quando ela arrancou sua própria camisa, deixando-a em um lindo sutiã de lavanda. Mikael se moveu pelo corpo dela e enterrou seu rosto entre seus generosos globos, lambendo, chupando e mordendo enquanto aprendia o que Terri gostava. Em muitos aspectos, seus corpos eram semelhantes. Havia muito pouco peso em excesso nela. Onde seus torsos tocavam, era óbvio que ambos eram atletas, o que o excitava totalmente. Sim, ele adorava curvas em mulheres, e Terri não tinha muitas delas, mas estava muito quente sabendo que ela tinha abdominais visíveis, bíceps e ombros desenvolvidos.

Terri se curvou e ele escorregou suas mãos para as costas dela, aproximando-a ainda mais. Ela se moveu inquieta. "Deus, você se sente bem".

Mesmo quando seu corpo estava gritando com Mikael para ir para o sul, ele se moveu para cima mais uma vez, colocando beijos de boca aberta ao longo da coluna fina do pescoço de Terri. Alcançando a orelha dela, ele mordeu levemente. O hálito dela pegou e ele riu.

"Você gosta disso?"

"Não sabia até agora". Ela soou sem fôlego e, considerando seu condicionamento físico, isso estava dizendo algo. Mikael sorriu. Agora ele queria ver o que seria necessário para virar completamente Terri do avesso. A pele dela tinha um sabor levemente frutado, como framboesa ou morango, e tinha começado a se esguichar pelo peito. Quando as mãos de Mikael escorregaram pelas costas e ele se ajoelhou para pressionar beijos no umbigo dela, Terri estremeceu. "Você deve ter uma boca mágica".

"Estou feliz que você pense assim", ele respondeu, soprando onde ele tinha acabado de beijar.

"Eu quero sentir você mais". Sente-se atrás". Ele fez, e Terri mexeu as pernas dela, então ela também se ajoelhou. Com um sorriso malicioso, ela se agarrou à cintura dele e baixou a cabeça, lambendo um de seus mamilos com leves movimentos da língua dela.

Mikael gemeu. Ele adorava ter seus mamilos tocados, e se ela mantivesse esse tormento esmagador, provavelmente ele perderia o controle. "Fácil. Muito sensível. Eu fico, muito excitado". Ele sabia que corava quando o calor corria sobre suas bochechas, mas Terri apenas acenou com a cabeça e sorriu.

"Boa informação para o futuro". Ela se endireitou e puxou as mãos dele entre elas. "Eu não quero dormir com você ainda, acho que isso seria muito cedo demais, mas Deus, eu preciso que você me toque". Terri soltou as mãos dele e desfez o trinco frontal do sutiã dela. Seus seios, altos e firmes com mamilos pequenos e marrons claros, emergiram e Mikael teve que se deslocar na cama antes de perder a consciência do sangue que corria para o sul.

Mantendo seu olhar trancado com o dela, Mikael se moveu gentilmente, colocando um peito em cada mão. "Como você gostaria que eu te tocasse? Eu quero te fazer feliz".

"Aperte só um pouco, passe a mão por cima do meu mamilo". Ele fez, ainda aferindo a reação dela. "Sim, assim mesmo". As mãos dela tinham voltado para os peitorais dele. "Eu adoro que você tenha alguns pêlos no peito. Eu não sou fã daqueles caras que fazem a barba. Parece esquisito". Terri riu e olhou para baixo, para onde o cabelo dele se descaía sobre sua pele quando ela se movia. "Além disso, faz cócegas".

"Oh, realmente?" Mikael os derrubou para o lado e trouxe seus corpos para o lado um do outro. "Assim?" Terri guinchou, tentando empurrar para longe, mas Mikael não teria nada disso. "Sim, isto é bom. A maneira como seus seios se esfregam contra mim. Muito sexy". Ele desenhou um mamilo em sua boca e brincou sobre ele com a língua, circulando até se tornar um pico duro e apertado. "Eu gosto muito disso".

"Sinta-se à vontade para se satisfazer". Ele mordeu suavemente e Terri arfou. Deixando aquele mamilo sozinho por um momento, ele se moveu para o outro, empurrando-o entre sua língua e o céu de sua boca. Terri respirava com força, o peito dela se agitava. "Eu amo tudo que você está fazendo comigo, mas talvez nós devêssemos parar. Se não pararmos, eu vou tirar sua roupa em cerca de trinta segundos. Eu não quero ser uma provocadora..."

Ele se afastou com o esforço de um super-herói. "Está tudo bem. Eu lhe disse que iríamos devagar e iremos. Sempre que você quiser parar, me diga".

"Eu quero que você continue por cinqüenta horas, mas não há como nenhum de nós ser capaz de se conter".

"Não, provavelmente não". Mikael se moveu para os pés da cama e Terri empurrou um par de travesseiros contra a cabeceira e depois fechou o sutiã mais uma vez. Ele lamentou a perda do contato da pele com a pele, mas ele já estava tendo problemas para ficar acima da cintura. O que ele faria para que sua ereção diminuísse, ele não tinha idéia.

"Eu devo ir".

"Você tem certeza? Você não precisa ter certeza".

"Sim, eu preciso ir para casa. Mas me ligue quando você tiver notícias dos caras. Eu definitivamente quero praticar com você, se eles não se importarem".

"Eu não consigo pensar porque eles fariam isso". Ele tirou sua camisa do chão como Terri fez o mesmo. Uma sensação de algo errado não o deixaria sozinho. "Nós estamos bem, certo?"

Ela olhou para cima. "Nós? Claro. Por quê?"

Mikael passou uma mão pelo seu cabelo. "Você está saindo bem rápido".

Terri corou novamente. "Eu só posso imaginar que você está, uh, como eu deveria colocar isso... desconfortável, então eu imaginei que se eu deixasse você poderia, um, consertar isso. Eu não acredito que estou tendo tantos problemas só de falar sobre sexo". É ridículo".

"É adorável, de uma boa maneira", ele corrigiu, aconchegando um par de fios que tinham se soltado de seu rabo de cavalo atrás da orelha.

Enrugando o nariz, ela disse: "Eu não tenho certeza se quero ser adorável..."

Ele se aproximou dela e envolveu seus braços ao redor da cintura dela. Os seus rastejaram até os ombros dele. "Adorável, bonita, sexy, kulta..."

"Espere, qual foi essa última?" Terri enrugou seu nariz. "Eu deveria estar feliz ou louca com isso?"

"Kulta". Significa ouro. É muito bom em finlandês".

"Oh. Bem, então, continue". Ela bocejou. "Na verdade, não o faça. Eu acho que preciso de uma soneca".

Mikael franziu o sobrolho. "Você tem certeza de que pode dirigir?"

"Sim. Eu não moro muito longe, cerca de dez ou quinze minutos".

Ele acompanhou Terri até a porta. "Por favor, mande-me uma mensagem para que eu saiba que você está a salvo".

"Eu vou. E nós vamos planejar sair novamente em breve. Vocês podem ficar cansados de mim, vendo um ao outro todos os dias no treino, fazendo coisas juntos fora disso...".

"Eu não acho que seria possível que isso acontecesse".

"Vamos esperar que não. Me beije, eu tenho que ir". Mikael o fez e depois assistiu enquanto Terri abria a porta e saía de seu quarto. Ele tinha sentimentos muito confusos sobre a partida dela. Por um lado, ela estava certa. Eles precisavam desacelerar as coisas no departamento de sexo. Nunca antes ele havia sentido esse tipo de atração por uma mulher e não queria complicar as coisas adicionando sexo à mistura. Ele andou de volta e mergulhou na cama, agora muito amarrotada, segurando sua ereção através de seus calções. Por outro lado, ele nunca havia encontrado essa combinação de coisas que ele gostava em uma mulher e queria perseguir as coisas com ela o mais rápido possível. Então, uma espécie de dois lados da mesma maldita moeda.

Mikael soprou um fôlego forte. Por esta noite, de qualquer forma, ele estava sozinho. Espero que não por muito tempo.

QUATRO

Seu telefone tocou com uma mensagem de texto de Terri quando ele estava terminando o café da manhã do serviço de quarto.

Ouvi falar novamente do gerenciamento de tempestades. Goleiro assinou para Rochester - quero saber se eu jogaria no ECHL - um passo abaixo. Não muito longe, mas não tão bom campeonato.

Ele suspirou. Era óbvio que Terri estava entusiasmado com a perspectiva de jogar pelo time da liga menor da Storm, mas ele certamente podia entender que não estava tão entusiasmado em fazer parte do time da liga menor deles.

Isso é uma droga. Ainda vai para o acampamento de principiantes?

Mikael tomou um gole de suco de laranja e depois sentou-se, perdido no pensamento. Ele poderia ajudá-la em tudo? Ele supunha que poderia falar com a gerência em Minnesota, mas será que Terri gostaria que ele falasse? Talvez ela se sentisse como se ele estivesse advogando por ela porque ela não conseguiria fazer isso por seus próprios méritos. Além disso, egoisticamente, ele não queria que ela fosse tão longe. Pelo que ele sabia, o time da liga menor de Minnesota estava em algum lugar em Iowa. Mas eu não deveria atrapalhar o fato de ela poder jogar. Chegou outro texto.

Sim, eles me convidaram. E você nunca sabe o que poderia acontecer.

É verdade. Jogadores se machucavam o tempo todo.

Onde está a outra equipe sobre a qual eles perguntaram a você?

Ele realmente se sentiu mal por Terri, que tinha muito talento. Parecia que o sexo do goleiro não deveria importar muito se aquela pessoa pudesse jogar o jogo. Ter mulheres como atacantes ou defensores poderia ser ruim, simplesmente porque os homens que jogavam hóquei profissional tendiam a ser caras grandes e fortes. Mikael não era o jogador mais abraçado ou o mais duro da liga por um tiro no escuro; sua especialidade era velocidade e passes, mas ele ainda esmagaria uma mulher do tamanho de Terri se ele a verificasse.

Elmira. É cerca de duas horas ao sul e um pouco ao leste de Buffalo. Não é tão ruim assim.

Em ascensão, Mikael debateu se deveria ou não oferecer-se para falar com os executivos em Minnesota. Ele não a conhecia bem o suficiente para poder avaliar como ela reagiria a tal sugestão.

Talvez aguarde um pouco e veja se alguma outra oferta chega. Vá para o acampamento Storm também. Então você pode tomar uma decisão.

Agora que ele considerava isso mais, seguir esse caminho fazia mais sentido para ele. Se suas opções fossem limitadas, talvez ela não ficasse brava se ele falasse com a gerência em Minnesota. Como ele tinha certeza absoluta de que ainda estaria vendo Terri durante o verão e, esperançosamente, mais além, eles tiveram algum tempo antes que ele falasse sobre o assunto.

Seu telefone tocou com a ligação do especialista em realocação que a Tempestade havia contratado para ele. Ele disse a ela o que ele queria e ela prometeu voltar para ele naquele dia ou no dia seguinte. A idéia de sair deste quarto de hotel era certamente atrativa, mas levaria tempo para fechar alguma coisa. Tirando o cartão de Karen, ele discou o número na parte de trás.

"Tempestade Búfalo, esta é Karen".

"Olá, Karen. É Mikael Maata".

"Mikael! Como você está? Grande torneio. Você se saiu bem".

Ele reconheceu seus elogios com um som sem compromisso, uma vez que os atletas profissionais não tendem a pensar que eles foram bem sucedidos a menos que eles ganhassem tudo, mas Karen parecia ser do tipo que encontrava o bem em qualquer situação. E para não se surpreender com a hipercompetitividade dos jogadores ao seu redor.

"A pessoa da recolocação ligou e terá alguns lugares para eu olhar em breve".

"Isso é um bom começo. Tenho certeza que será uma carga fora da sua mente".

"Sim. Meu apartamento em Minnesota também precisa ser vendido".

"Alguém de lá deveria estar contatando você sobre isso. Eles podem preparar o lugar para a venda, fazer qualquer tour ou abrir casas necessárias; você não deve ter que estar envolvido em nada, exceto para embalar qualquer coisa que você precise aqui, e até mesmo que você não tenha que fazer, mas muitos querem fazer. Nós contrataremos um caminhão, é claro, para trazer tudo para Buffalo. Então o último passo é dizer sim ou não a qualquer oferta que chegue e tomar sua decisão sobre algo localmente".

"Você faz isso parecer tão fácil".

"Queremos que nossos jogadores se concentrem no hóquei, mas sejam felizes onde estão vivendo".

"Falando em ser feliz, é por isso que eu liguei. Mesmo se eu encontrar algo que eu goste em breve, serão semanas até que eu possa me mudar. Seria possível mudar para um daqueles hotéis de longa permanência com uma cozinha? Eu sei que estou pedindo muito...".

Karen riu. "Mikael, pelo que eu vi você pode ser o jogador mais descontraído que temos por aqui, exceto talvez Sebastian. Você poderia fazer aquele garoto feliz quase não importa o que você faça. De qualquer forma, isso não é um problema. Nós temos um contrato com um hotel a apenas alguns quarteirões daqui. Eles têm suítes de dois quartos com microondas, uma geladeira, cafeteira, coisas desse tipo. Sem fogão que eu saiba, então eu peço desculpas por isso, mas espero que seu fechamento seja rápido".

"Isso soa bem, obrigado".

"Eu ligo para eles e te preparo e depois te ligo de volta". Ah, e eu quase esqueci. Você está trazendo um carro para cá ou eu devo lhe dar um aluguel?"

"Eu não tinha pensado sobre isso. O que seria mais fácil"?

"O que for melhor para você, querida. Podemos enviar um transportador e ter seu carro aqui em alguns dias ou posso conseguir um aluguel de longo prazo para você. Se você escolher o transportador, é claro, eu providenciarei um aluguel até que seu carro chegue".

"E se eu escolher fazer o aluguel mais longo? Como eu conseguiria meu carro então"?

"Será trazido aqui junto com as suas coisas".

"Oh". Seria bom ter um carro, mas ele se sentiu mal por o time estar fazendo tanto.

"A maioria dos jogadores escolhe ter seus carros trazidos imediatamente, se isso ajudar você a decidir". O tom de Karen indicou que ela entendeu a hesitação dele, e ele estourou um fôlego aliviado.

"Isso seria ótimo se você pudesse".

"Claro." Ela leu tudo de volta para ele e disse que ligaria de volta quando ele pudesse mudar de hotel. Eles desligaram e ele voltou para o seu aplicativo de mensagens. Havia dois textos.

Você está certo. Eu tenho todo o verão. Eu não tenho que tomar uma decisão agora. Obrigado por me acalmar. É uma estupidez ficar chateado com coisas como esta.

Quais são os seus planos para hoje?

Mikael rolou seus olhos para si mesmo.

Não é estúpido quando você não se sente confortável sem um plano. E tudo o que estou fazendo hoje, além de trabalhar em algum lugar, sem saber para onde ainda, é mudar de hotel.

Ele olhou ao redor da sala. Com o pouco que ele tinha trazido, não demoraria muito para arrumar as malas. Espero que houvesse um serviço de lavanderia ou máquinas em algum lugar neste novo hotel, já que ele já estava ficando sem roupas.

Quer um parceiro de treino? Então eu poderia levá-lo até o outro hotel. Onde fica?

Ele riu.

Eu não sei. Karen disse que me ligaria de volta.

Colocando o telefone na mesa, ele considerou os restos de seu café da manhã, sabendo que deveria tentar comer mais se ele e Terri fossem fazer exercícios.

Seu telefone zumbiu novamente.

Homem típico. Quer ir à minha academia? Eu tenho passes para convidados.

Isso resolveria um problema imediato, já que Mikael não tinha sido avisado que poderia usar o equipamento da Tempestade e o centro aqui deixou muito a desejar. Certamente o hotel que ele iria ter uma sala de ginástica, espero que muito melhor do que a atual, mas ele gostava de fazer sua rotina mais cedo e ter o resto do dia para descansar e se recuperar. Ele não se matou, mas também não se descuidou e, com o torneio, não tinha dado certo em alguns dias, não querendo se machucar fazendo muita coisa. Mikael não tinha andado de patins desde o último jogo das finais do Minnesota antes de colocá-los para o torneio.

Claro, isso parece ótimo. Então almoço. Eu acabei de tomar café da manhã, mas estou sempre morrendo de fome quando termino na academia.

Ele pegou sua bagagem do bagageiro e a deixou cair na cama, colocando o bagageiro de volta no armário para se preparar para o check-out.

Esteja lá em cerca de meia hora.

Mikael tomou um banho rápido. Ele não achava que ele e Terri estavam em um ponto em seu relacionamento onde ela não se importaria se ele não tivesse tomado um banho. E mesmo que ela não se importasse, ele se importou.

Ele ficou do lado de fora um pouco mais tarde, esperando por ela. O sol brilhante tinha exigido óculos de sol, e parecia que ninguém tinha notado ele. Mikael nunca havia sido um famoso, e o fato dos jogadores terem sido deixados sozinhos na maior parte do Minnesota havia sido agradável. Quando ele estava procurando por outro time para assinar, ele e seu agente haviam descartado lugares como Montreal onde os jogadores estavam sob os holofotes o tempo todo. Mikael gostava apenas de ir ao ringue, fazer seu trabalho e voltar para casa.

Eles fizeram um bom treino e um almoço agradável e saudável. Então Terri voltou para o quarto com ele para que ele pudesse pegar suas coisas e ir para o novo hotel. Foi em uma alta elevação e, enquanto Mikael guardava algumas coisas, Terri folheou o fichário de informação ociosamente.

"Há uma sala de exercícios muito bonita aqui. Você deveria checar isso".

Usar o lugar aqui seria conveniente, mas não tão divertido sem Terri. Colocando sua cabeça fora da porta do banheiro, ele perguntou: "Já está tentando se livrar de mim?

"Uh-uh. Na verdade", ela andou atrás dele e envolveu seus braços ao redor da cintura dele, subindo lentamente pelo seu tronco. "Eu mencionei como era sexy vê-lo fazer agachamentos de pernas com uma quantidade ridícula de peso?"

Olhando nos olhos dela através do espelho, pelo benefício de sua cabeça estar apoiada no ombro dele, Mikael disse: "Sério?". Naquele momento do treino ele tinha ficado todo suado e nojento.

"Ohh yeah. Lembre-se... três troncos de coxas... bom". A palavra saiu em cerca de seis sílabas e ele riu.

"Eu terei que lembrar disso".

"Não é à toa que suas pernas são tão grandes. Você fez aqueles agachamentos com quê, duzentos e quarenta quilos?"

Ele se virou e colocou seus próprios braços em torno de Terri. "Você tem me olhado?"

"Eu sou um jogador de hockey. Eu posso apreciar o trabalho duro". Como ela manteve uma cara séria através daquela mentira que ele nunca saberia.

"Oh, então isso é tudo? Respeito profissional"?

"Bem, isso e você está fumando muito quente".

"Eu não sou", disse ele com um cheirinho.

"Você está discutindo comigo? Você realmente não sabe o quão bonito você é"?

Mikael encolheu os ombros. "Eu nunca pensei isso sobre mim mesmo".

"Então as dezenas de mulheres que você tem que arrastar atrás de você o tempo todo não lhe deram pistas"? Terri sorriu, abanando as sobrancelhas.

"Não, nada de mulheres". Bem, uma. Eu terei que te arrastar por aí?"

"Talvez". Ela deixou cair as mãos bem perto da palma da mão dele. Os olhos de Mikael se alargaram. "Que tal só até a cama, por enquanto? Nós precisamos ter certeza de que é de boa qualidade".

Ele riu, mas deixou que ela o puxasse para fora do banheiro. Claro, Mikael se considerava um cavalheiro, mas ele também era um homem de vinte e sete anos com uma mulher bonita, aparentemente excitada, em um quarto sozinha. Eu posso ser um cavalheiro, mas eu não sou estúpido. Sim, tenho certeza que ela está me dando os sinais.

Terri inverteu suas posições e então empurrou em seu peito até que as costas de suas pernas tocaram o colchão. Ele não esperava o empurrão que veio em seguida. Devido à sua profissão, Terri era mais forte do que a maioria das mulheres, mas Mikael poderia tê-la segurado facilmente. Não, não foi estúpido. Ele caiu e ela subiu em cima dele. Sim, isto é o que acontece quando você é inteligente.

Inclinada para baixo, um véu de cabelo louro de Terri caiu de ambos os lados da cabeça dele, ela disse: "Me beije".

"A qualquer momento". Ele a encorajou a deitar em cima dele e depois fez o que ela pediu, gemendo enquanto ela empurrava para a boca dele, tomando o controle do beijo. Por que Terri, muitas vezes sendo o agressor sexual, era tão sexy, ele não podia dizer, mas seu corpo se apertava enquanto o beijo continuava. Mikael dobrou suas pernas, então agora Terri estava entre suas coxas e deitado em seu tronco.

"Tentando me capturar com esses músculos poderosos?"

"Você vai ter que continuar e descobrir".

Um tempo depois, quando ambos estavam deitados de costas, olhando para o teto, Terri disse: "Eu dou à cama um B. Eu dou a você um A+".

"Você deve ser um bom professor".

"Eu mencionei que você deveria ter tempo depois das aulas com o professor?"

Ele virou sua cabeça para olhar para ela. "Você gosta desse tipo de coisa?"

"Você quer dizer como fazer os papéis de professor e aluno?" Ele acenou e ela encolheu os ombros. "De vez em quando é divertido misturar as coisas, mas eu não gosto de cenas pesadas nem nada".

"Ótimo. Eu estava ficando preocupado por um minuto que eu poderia ser entediante demais para você".

Terri se sentou, pegando seu sutiã, que estava meio pendurado na ponta da cama, e o enfiando de volta. "Preocupada como se um dia eu fosse aparecer em couro de cabedal dos pés".

"Hmm. Isso pode não ser uma coisa ruim. Motocicleta sexy".

"Ou eu poderia usar minhas almofadas".

"Isso seria simplesmente estranho. E eles cheiram mal".

"Bem visto".

Não importa o que você fez, o equipamento de hóquei tinha um dos piores cheiros do planeta. Mikael estava convencido disso. No vestiário ele tinha se acostumado tanto ao odor que normalmente não percebia, mas em um lugar pequeno como este provavelmente se destacaria. Na verdade, ele precisava arejar seu próprio equipamento. A varanda funcionaria bem para isso.

Sim, vamos nos concentrar na mulher e pensar em equipamentos mal cheirosos mais tarde.

Terri não vestiu sua camiseta de volta, mas enrolou na barriga, o que deu a Mikael uma ótima visão do seu traseiro de shorts. Suas mãos tinham vagueado algumas vezes por esse caminho, mas ele se fez mais lento.

Um lado da boca dela chutou num sorriso e ele perguntou: "O que é esse olhar?

"Como eu não posso sorrir? Eu tenho um homem quase sempre nu, incrivelmente bem construído, deitado ao meu lado".

Mikael olhou para baixo. Ele estava realmente sem camisa e em algum lugar do caminho seus calções tinham sido descompactados. "Como isso aconteceu?"

O sorriso dela cresceu mais. "Não faço a menor idéia. Alguém não deve ter sido capaz de se controlar".

Se Terri continuasse assim, não demoraria muito até que eles fossem até o fim. Embora a idéia fosse atraente ao extremo, ele ainda não queria levar as coisas muito rápido. Então Mikael lembrou que não tinha nenhum preservativo com ele. Não que eles precisassem deles agora mesmo, mas ele deveria se lembrar de comprar alguns. Na verdade, ele provavelmente deveria voar para casa e trazer mais algumas coisas; roupas, livros, alguns filmes e seu suprimento de preservativos. Por alguma razão, a equipe continuou a distribuí-los e Mikael tinha um grande estoque agora.

"Estou pensando em ir logo para Minnesota e pegar algumas coisas do meu condomínio". Eu só trouxe roupas suficientes para alguns dias".

Seus pés balançavam de um lado para o outro sobre suas pernas dobradas. Como ele, ela provavelmente achou difícil ficar quieta.

"Quando você sairia?"

"Possivelmente amanhã se eu pudesse conseguir um vôo. Eu posso encher todos os meus pedaços de bagagem com coisas e depois voar de volta, talvez amanhã à noite ou no dia seguinte".

"Eu mencionaria as taxas de bagagem, mas li sobre o seu contrato. Duvido que eles vão falir você". Seu rosto parecia quente e ele desviou o olhar. Realmente não era justo que ele ganhasse milhões enquanto ela lutava simplesmente para encontrar um lugar para jogar o jogo que ela amava e era realmente boa no jogo. Ela se aproximou e pegou o braço dele. "Ei, não se sinta mal com o dinheiro. É assim que as coisas são. E talvez você não perceba ou não reconheça, mas você é realmente bom no hóquei".

Ele se moveu para seu lado e cavou seus dedos em suas costelas. Apenas naquele dia Mikael havia descoberto que Terri tinha cócegas e agora aproveitava todas as oportunidades para atormentá-la, especialmente porque isso a deixava furiosa por ele não ter cócegas. "Apenas muito bom? Eu estou triste agora".

Terri guinchou. "Tudo bem, tudo bem. Você é o melhor jogador de hóquei que eu já vi".

"Melhor", disse ele enquanto caía de costas mais uma vez.

"Que tal o melhor que eu já vi nua na maioria das vezes? O melhor que eu já quis passar horas beijando"?

Ele levantou uma sobrancelha. "É melhor que não haja muitos desses". Posso ser possessivo o suficiente para pedir a ela que não tenha outros jogadores de hóquei, em sua maioria nus, por perto? O que eu acabei de dizer foi o suficiente? Às vezes as mulheres eram engraçadas sobre esse tipo de coisa, e elas só se conheciam há dias, mas tinham passado tanto tempo juntas que ele sentiu como se estivessem namorando há meses. "Na verdade, eu gostaria de ser a única jogadora de hóquei que você vê principalmente nua".

"E as jogadoras? Elas são permitidas?"

"É claro. Eles não são homens".

"Combinado".

Uau, isso foi fácil.

Terri endireitou e sentou-se na cama. "Ei, você quer dar um passeio e ver outro lugar legal em Buffalo?"

"Isso soa como diversão. Vamos lá".

Ela lhe mostrou o Buffalo Riverwalk, que se estendia por vários caminhos até o rio Buffalo, apontando a Ponte da Paz com sua iluminação colorida e bandeiras americanas e canadenses, o Canadá do outro lado do rio, e alguns outros pontos turísticos. Eles deram as mãos enquanto caminhavam e Mikael levou algum tempo para refletir sobre os últimos dias. Conhecer Terri e conhecê-la fez com que esses dias se classificassem com alguns de seus melhores, como o dia de rascunho, quando ele tinha ido no meio da primeira rodada, para seu primeiro jogo com os grandes, e quando Minnesota tinha ido para a final da conferência há alguns anos atrás.

Eles chegaram ao final da caminhada, tendo passado por vários casais e famílias ao longo do caminho. Havia uma área redonda maior, com alguns bancos, e Terri sentada, suspirando e sorrindo enquanto olhava em volta.

"Eu amo a água. Há algo nisto que me acalma".

"Eu posso entender isso". Ele ainda estava de pé, observando-a mais do que a vista.

"Sente-se. Você está me deixando nervoso olhando para mim como se eu estivesse almoçando".

Mikael riu, sendo educado o suficiente para não apontar como ele teve, de fato, Terri - seus belos seios, de qualquer forma - como sobremesa depois do almoço deles mais cedo. Ela se aproximou dele e agarrou o braço dele, deixando-o cair em volta de seus próprios ombros.

"Isso é uma dica?"

"Eu não achei sutil o suficiente para ser considerado uma dica".

Antes que ela pudesse dizer qualquer outra coisa, ele fez uma verificação rápida - não havia crianças perto o suficiente para serem escandalizadas e então a beijou, aprofundando o beijo imediatamente, como se ele pudesse afundar dentro dela. As pequenas mãos dela se agarraram à camisa dele e, rapidamente, ele se perguntou se sua fome por ela alguma vez iria diminuir. Praticamente, ele estava ciente de que se eles ficassem juntos por anos, e neste momento isso era um enorme ponto de interrogação obviamente, a paixão diminuiria. Sempre diminuiu, mas pelo que seus amigos e colegas de equipe disseram, o amor se transformou em algo mais firme e menos volátil. Mikael poderia viver com isso.

Ele moveu sua boca pela linha da mandíbula dela, mantendo uma orelha na aproximação dos andadores. A cabeça dela caiu para trás e ele atacou o pescoço dela. Mas antes de se deixar levar, ele se lembrou que sem óculos escuros ou um chapéu de beisebol, ele provavelmente seria reconhecido. Considerando que ele tinha acabado de assinar em Buffalo e tinha sido entrevistado por vários veículos de comunicação durante o torneio, muitas pessoas provavelmente estavam cientes de como ele era.

Ao se afastar, ele empurrou uma mão através do cabelo. "Nós deveríamos ir para um lugar mais privado". Tenho medo que alguém me conheça, e agarrar-se ao pescoço de uma mulher como um vampiro não é a primeira impressão que eu quero que os fãs tenham".

Terri riu. "Uh, sim, provavelmente não". De pé, ela ofereceu sua mão. "Caminhando de volta?"

O Riverwalk se estendeu por alguns quilômetros e, como eles não tinham pressa, eles voltaram para o carro, apontando isto ou aquilo um para o outro. O estacionamento estava a apenas algumas centenas de metros de distância quando um homem o parou.

"Você é Mikael Maata"?

Não alguém para negar sua própria identidade como alguns jogadores fizeram, ele respondeu: "Sim, eu sou".

"Fantástico ter você aqui. Estamos todos realmente entusiasmados por um grande ano para a Tempestade".

"Eu espero poder ajudar a equipe". Eles cuspiram as mesmas banalidades em todos os lugares que foram. No final das contas, o que mais eles poderiam dizer?

"Mas os corações vão se abrir por todo o Buffalo, se você já tem uma garota bonita no braço".

Mikael não tinha idéia de como responder a isso. Ao lado dele, Terri obviamente tentou manter uma cara séria e isso o surpreendeu como ela conseguiu. Por sua vez, o rosto dele estava quente, o que significava que ele estava corado. Ótimo.

"Hum, bem, obrigado pelas boas vindas".

O homem deu outra olhada na Terri. "Espere um minuto. Você é aquela garota goleira do Team USA, não é?"

"Sim".

"Uau, que par. O próprio casal de poder de Buffalo".

Mal segurando um gemido, Mikael ao invés disso ofereceu sua mão. "Desculpe correr, mas nós precisamos ir. Mesmo na baixa temporada nós treinamos duro e de madrugada vem muito cedo".

"Oh, eu posso imaginar. Boa sorte este ano".

Já tendo dito obrigado, Mikael simplesmente acenou com a cabeça e sorriu. Quando eles entraram no carro, Terri se inclinou para ele, com os braços cruzados.

"Então agora eu sou uma garota no seu braço?" Ele procurou no rosto dela por pistas de como ela tinha levado o episódio com o fã, e Terri não parecia particularmente angustiada, apenas divertida.

"Como é que chamam essas mulheres aqui? Ahh", ele procurou em seu banco de memória. "Sim, doce de braço".

"Já que você poderia ter ido muito pior com isso, eu aceitarei ser chamado de doce de braço". Ela rolou os olhos. "Ainda é muito cedo, mas se você estiver cansado eu posso te deixar para que você possa ter uma boa noite de sono".

"Ou você pode entrar e se certificar de que minha cama esteja bem quentinha quando eu for dormir".

"Novamente? Você pensa muito em sexo".

Ele riu. Embora Mikael definitivamente quisesse passar mais tempo com Terri, ele sabia que seria cada vez mais difícil não querer toda ela. "Se eu me lembro desta tarde, foi você quem me empurrou para a cama".

"Bem, se você quiser ver as coisas dessa maneira..."

Tinha havido alguma coisa preocupante com ele por alguns dias enquanto ele e Terri se aproximavam e Mikael decidiu tratar disso agora.

"Eu acho que precisamos conversar".

Eles ainda estavam no estacionamento para a Riverwalk, e Terri fez uma "careta". "Isto parece sério".

"Não é, não se preocupe. Nós dissemos que iríamos devagar, mas nós não estamos realmente fazendo isso. Eu quero nos proteger aos dois, então se nós formos mais longe, eu precisarei ir a uma loja. Eu não fiz exatamente as malas para esta viagem com sexo na minha cabeça". Você poderia ter cuspido isso de forma mais embaraçosa? Não.

"Você quer dizer que você precisa de preservativos".

"Sim, esses". Se seu rosto estivesse mais quente, ele seria capaz de fritar um ovo para o café da manhã de amanhã.

"Nós podemos parar no caminho de volta se você quiser. Eu também estou tomando a pílula, mas sei o que você quer dizer com "estar protegido".

"Eu não quero que você pense que eu tenho qualquer doença ou qualquer coisa". Eu não tenho. Nós somos testados frequentemente porque eles podem realmente bagunçar o seu sistema imunológico. Mas é sempre melhor estar seguro".

"Ah, sim. Eu também não. Você sabe, não tem nada. Mas eu concordo". Ela estourou um fôlego. "Uau, para dois adultos nós não somos bons em falar sobre essas coisas".

Ele decidiu ir para a brincadeira para, assim esperamos, aliviar um pouco o clima. "Talvez à medida que o fizermos mais, nós vamos melhorando".

Ela riu. "Você quer dizer ficar melhor no sexo ou melhor em falar sobre isso"?

"Por que não os dois?"

Terri balançou a cabeça ao ligar o carro. "Eu vou ter isso em mente".

Cinco

Durante as próximas semanas, Mikael conseguiu não pular Terri sempre que podia. Os dois estavam sozinhos juntos uma quantia justa, já que Mikael estava apenas conhecendo seus colegas de equipe, e eles tinham muito tempo para conversar. Terri tinha alguns amigos íntimos, mas ele tinha aprendido que tinha sido difícil para ela manter muitos relacionamentos estando longe na faculdade e jogando internacionalmente.

Terri praticou com ele e com os caras. Muitos deles a assistiram nas Olimpíadas e durante o torneio de caridade e não tiveram nenhum problema incluindo ela. Secretamente Mikael achou muito engraçado que Terri fizesse muitas defesas que o outro atacante não profissional, um cara do estado de Michigan, poderia fazer. Jordan também estava lá e parecia feliz em trabalhar com Terri um a um, o que a deixou emocionada.

Brendan, o titular do gol inicial, não passou suas férias em Buffalo, mas veio algumas vezes e se juntou ao treino. Mikael podia garantir que não veria Terri pelo resto do dia se Brendan tivesse concordado em trabalhar com ela, o que ele fazia com freqüência. Só o fato de todos os caras serem tão simpáticos com Terri, quando eles poderiam ter sido rosnados e sexistas, fez Mikael gostar deles.

É claro, tornou-se do conhecimento público, pelo menos entre seu pequeno grupo, que ele e Terri estavam namorando. Tudo bem com ele. Quanto menos competição, melhor. Não que Mikael pensasse que perderia Terri se outro cara aparecesse, mas ele prefere não ter conflito com esses homens com quem ele estaria brincando durante os próximos anos.

Um dia, enquanto eles estavam praticando, Mikael notou uma multidão maior do que o normal. Havia sempre alguns fãs que apareciam para conseguir autógrafos e outras coisas, embora na sua mente parecesse que as coisas que os jogadores estavam fazendo no gelo seriam chatas como o inferno para se assistir, mas isto era diferente.

Ele patinou até Rob. "Por que tantas pessoas estão aqui?"

Rob olhou de relance para as arquibancadas. "Não sei. Eu não os reconheço". Girando para enfrentar alguns dos outros caras, ele perguntou em voz baixa: "Alguém sabe quem são os ternos?

Desde que a brincadeira parou, Jordan e Terri foram aos poucos se recuperando. Jordan, não surpreendentemente, falou primeiro. "O que está acontecendo?"

"Tentando descobrir quem são esses caras". Muito bem vestidos para assistir a um jogo de brilhantes no meio do verão".

Ninguém sabia quem eles eram, então o jogo recomeçou. Quando eles terminaram, Mikael deu a Terri seu toque habitual com o bastão em suas almofadas. "Vejo você daqui a pouco".

"Soa bem".

Mikael ficou preso conversando com Jordan, que nunca se calou, de acordo com os colegas de equipe que escaparam pela porta, sorrindo para o dilema de Mikael de tentar terminar a conversa educadamente. Quando ele finalmente conseguiu sair para o lobby, ele notou que os homens agora tinham cercado Terri. Ela parecia um cervo preso em faróis. Ele ficou atrás deles um pouco, não querendo interferir, mas pronto para dar apoio ou mesmo proteção, se necessário. Um dos homens deu a Terri um cartão de visita, e ela apertou todas as mãos deles, acenando com o que Mikael agora sabia que era um sorriso nervoso brincando sobre seus lábios.

Alguns deles acenaram para Mikael quando saíram, e ele foi até Terri, jogando sua bolsa de equipamentos ao lado da dela e se apoiando na parede. "Você está bem?"

Ela ainda olhava para o grupo, que agora estava se dispersando e se dirigindo para o estacionamento. "Sim". Até agora Terri não tinha olhado para ele; sua mente parecia estar a quilômetros de distância.

"Boas notícias? Más notícias? Conte-me, querida". Foi a primeira vez que ele usou um carinho como esse e ele esperava que isso pudesse tirá-la do olhar vazio.

"O quê?" Ela se virou para ele e depois balançou a cabeça. "Eu sinto muito. Eu só... estou arrebentada".

"Sobre?

"Esses caras estão propondo iniciar uma liga de hóquei feminino. Não exatamente como o seu, e eles estão pensando apenas em seis times no início, mas um deles seria baseado em Buffalo. Eles querem manter os times próximos, então viajar seria mais barato. Eles mencionaram Hamilton, Toronto, Londres, Detroit... eu acho... eu nem me lembro ao certo. De qualquer forma, esses caras seriam os donos".

"Uau, isso é muito legal, porém. Não é?"

"Totalmente legal! Mas será que teria sucesso? Será que as pessoas ririam de nós? Eu sei que existe uma liga profissional de basquetebol feminino, mas a maioria dessas coisas dobram dentro de alguns anos. Será que alguém se daria ao trabalho de ir?"

"Quem se importa? Jogue para as pessoas que comparecem, e se a liga tiver que fechar, faça outra coisa. Você pode querer fazer até lá".

"Sim, já que agora eu tenho vinte e três anos. É melhor pensar na aposentadoria em breve". Ela olhou na direção do estacionamento de novo. "Eles disseram que só haviam contatado uma dúzia de jogadores neste ponto, no total, mas estão planejando falar com muitos outros de todo o mundo". Eu imagino que a liga precisaria de pelo menos cento e quarenta mulheres para ter listas completas para todos os seis times, certo? Se houvesse vinte e três em um time"...

"Isso não parece difícil. Há muitas jogadoras talentosas".

"Não, não na superfície. O principal problema é que eles não podem pagar muito. Seria suficiente que eu não teria que conseguir um segundo emprego fora do jogo, mas não um monte a mais. Eu estava esperando poder jogar e realmente ganhar o suficiente para pagar meus empréstimos da faculdade".

Ele a trouxe para o círculo de seus braços, murmurando em seus cabelos: "Mas seria uma chance de fazer aquilo que você ama por um pouco mais de tempo, pelo menos".

"Oh, eu sei. Acho que estou simplesmente sobrecarregado".

"Eu também seria, se fosse eu". Vamos lá, vamos almoçar e você pode me contar o resto do que eles disseram".

Mikael tinha seu carro agora e eles concordaram em deixar o carro da Terri no estacionamento por enquanto. O rinque onde os caras praticavam estava em um subúrbio de Buffalo, e os dois tinham descoberto alguns lugares com comida saudável. Ele foi para um deles, sabendo que Terri provavelmente não se importaria de uma forma ou de outra.

Depois que eles estavam sentados e tinham pedido, Mikael disse: "Então me conte tudo o que eles disseram".

Terri contou toda a história e quando ela terminou ela disse: "Eles gostariam de atirar para começar a liga este ano, mas eles não têm certeza se isso é possível. Se eu tivesse que adivinhar, eu diria que não é, mas você nunca sabe".

"Isso é verdade. Não se preocupe com isso. Não é problema seu. É deles. Espere e veja o que eles dizem a seguir". Ele indicou o embrulho dela. "Agora coma".

*****

Terri tinha recebido convites, nas últimas semanas, para outras duas competições com diferentes times de ligas menores. Mikael sentiu muito mais falta dela do que ele pensava, ou deveria, quando ela foi para o acampamento de novatos da Storm. Eles trabalharam duro e Terri caiu todas as noites logo após chegar em casa.

Era uma droga eles ainda estarem na mesma cidade e mesmo assim ele não conseguia vê-la. Então ele se sentiu como um bebê por não ser capaz de lidar com uma ausência de alguns dias. Uma vez que a temporada começou para ele, pode ser que houvesse períodos de tempo muito mais longos quando ele estaria em uma viagem de carro. E se ela tocasse em algum outro lugar que não fosse Buffalo? Ele quase nunca a veria. Mikael nem quis pensar sobre isso.

Finalmente eles puderam se reunir no dia seguinte ao término do acampamento. Ela parecia exausta, mas entusiasmada. "Eu acho que tenho uma chance neste trabalho em Elmira, se nada mais. Talvez eu possa agüentar se a liga feminina não estiver pronta para ir, jogar para elas por um ano, e depois trocar. O que você acha?".

"A mim parece-me um bom plano".

Ela riu. "Você sabe, é engraçado. Um mês atrás eu pensava que minha carreira profissional tinha acabado. Eu joguei naquele torneio porque eu queria ajudar as crianças, senão eu não tinha estado muito no gelo desde as Olimpíadas. E agora eu tenho um par de ofertas, nenhuma ainda firmada, mas pelo menos lá. Estou praticando com vocês, o que é fantástico, aliás, e definitivamente fazendo uma grande diferença no meu jogo". Terri sentou no sofá ao lado dele. "E eu conheci vocês".

"Sem dúvida o ponto alto do seu ano. Ouro olímpico? Tanto faz". Ele acenou com a mão no ar de forma desdenhosa. Então Mikael pegou o rosto dela e deixou cair um beijo nos lábios dela. "Estou tão orgulhosa de você, e quero que você saiba de outra coisa".

"O quê?"

"Estou me apaixonando por você, tão egoisticamente que espero que você possa ficar aqui, mas no que me diz respeito, não importa onde você está ou onde eu estou. Nós podemos fazer isto funcionar". Ele precisava acreditar nisso. Em pouco tempo Terri tinha trabalhado até os recessos mais profundos de seu coração e Mikael não tinha intenção de deixá-la ir.

Terri se aconchegou a ele. "Então, quando você concordou em jogar naquele torneio, eu aposto que você nunca pensou que iria realmente marcar no dia 4 de julho, hein?" Ela o acotovelou nas costelas, sorrindo.

"Nós fizemos sexo então?" Terri arfou em ultraje e o beliscou. "Ow. Não, eu não fiz, mas eu deveria mandar flores para Karen. Ela é a assistente do GM e aquela que me pediu para participar".

"Desde que ela não seja jovem e bonita".

"Não. Eu já tenho um desses. Por que eu iria procurar por outro"?

"Oh, você é bom". Inclinando a cabeça para cima, ela disse: "Agora me beije como você quer dizer isso".

"A qualquer momento".

Você gostou do livro?

Deixe uma resenha e lembre-se de assinar minha newsletter para que você possa receber, gratuitamente, **uma história erótica só para você**, e ficar sempre informado sobre minhas novas coleções de sexo!

Clique aqui ou leia o código QR para me seguir!

allmylinks.com/erosandlovebr

Um beijo e nos vemos em breve!

Milton Keynes UK
Ingram Content Group UK Ltd.
UKHW010928280823
427620UK00001B/234